SENEGAL

© HOA-QUI Editions
30, rue des Favorites – 75015 – Paris – France – 1997
© Xavier RICHER
30, rue des Favorites – 75015 – Paris – France – 1997

Textes : Jean-Claude BLACHERE
          Régine RENAUDEAU

Photographies : Michel RENAUDEAU
Sauf p. 47, 75, haut 76, 81
87 : Gérard GASQUET
P. 86, 99 : Pascal MAITRE
p. 28, 29 : Emmanuel VALENTIN

Maquette : Laurent BERNAR

Dépôt Légal : Fevrier 1997
ISBN 2 – 901151 – 29 – 9
Imprimé en Malaisie par Times Offset (M) Sdn Bhd

Michel RENAUDEAU

SENEGAL

Textes
Jean-Claude BLACHERE et Régine RENAUDEAU

RICHER-HOA QUI

Introduction

Rien de plus aride, de plus ennuyeux, qu'une fiche signalétique : des chiffres et des dates. Bien sûr, il n'est pas inutile de savoir que le Sénégal, pour 197 000 km², compte plus de 6 000 000 d'habitants — qui seront dix millions en l'an 2000. Afin de comprendre un peu mieux les problèmes qui assaillent l'agriculture de ce pays, il n'est pas indifférent de noter qu'il y a bien peu, au Sénégal, de cours d'eau douce permanents. Les fleuves puissants qui apparaissent sur les cartes sont remontés par les marées océanes sur des dizaines de kilomètres en amont. On pourrait même ne pas négliger quelques données sur le relief (ou plutôt son absence), sur la nature des sols, rarement généreux et faciles, qui ne rendent que plus méritoire le travail du paysan.

Mais toutes ces précisions géographiques n'atteindraient pas l'essentiel : la compréhension des liens complexes qui se sont immémorialement créés entre la terre et l'homme, entre le paysan et les éléments, entre le citadin et l'espace. Seuls les yeux et le cœur peuvent prétendre à cette connaissance affective. Les photographies, dans ce domaine, en disent plus sur la vie des hommes que bien des chapitres de manuels scientifiques.

Les mêmes observations valent pour l'histoire. Alignons les événements : islamisation précoce des régions du Nord ; intégration dans les plus puissants empires soudaniens au Moyen-Age ; émergence d'un embryon de "conscience nationale" avec les créateurs des premiers royaumes sénégalais, dont le mythique Ndiadiane Ndiaye, vers 1200 ; concurrence désastreuse d'une poussière de petites principautés, à partir du XVIᵉ siècle, où le Cayor, le Djolof, le Sine, le Baol, le Walo, etc. se disputent périodiquement la prééminence ; épisodes sinistres de l'esclavagisme ; conquêtes coloniales du XIXᵉ siècle ; résistances à cette conquête, sous l'impulsion des derniers princes, Lat Dior, Albouri Ndiaye, et tant d'autres... ; affirmation de l'Islam, sur le plan politique, chez El Hadj Omar Tall, ou plus spécifiquement mystique, chez le fondateur du mouridisme, Ahmadou Bamba.

Cette revue vertigineuse, qui note, au vol, les grands moments du calendrier d'un pays, ne peut faire autrement que d'être dérisoire, de ne pas saisir l'important. On ne résume pas en vingt lignes l'histoire d'un pays où les premiers rois attestés ont régné voici dix siècles ! Mais on peut espérer parvenir à la notion-clé, celle qui commande tous les savoirs parcellaires.

L'histoire du Sénégal est perçue par les Sénégalais eux-mêmes comme un nœud affectif, où s'enlacent divers sentiments : l'enthousiasme pour les belles anecdotes épiques, les chevauchées héroïques ; l'intransigeance nationaliste, qui s'alimente de la mémoire des fondateurs et des résistants ; et surtout : l'honneur, valeur suprême, le sens de ce qu'il faut faire pour être digne de sa lignée, de son pays. Les nations se mirent souvent dans les hymnes officiels qu'elles se sont donnés. Celui du Sénégal est révélateur :

Sénégal, toi le fils de l'écume du Lion
Toi surgi de la nuit au galop des chevaux
Rends-nous, oh ! Rends-nous l'honneur de nos Ancêtres !

Aujourd'hui, cette république met son point d'honneur à respecter la dignité de l'homme, dans la pratique politique comme dans les institutions : n'est-elle pas un des rares pays du continent à avoir instauré un réel multipartisme !

Double page précédente :
A Cayar, retour des pêcheurs sur l'océan plombé des fins d'après-midi.

Ci-contre :
Le lien entre la mère et l'enfant, une des images symboles de l'Afrique noire.

Dagana

Richard-Toll

PARC NATIONAL DES OISEAUX DU DJOUDJ

Lac de Guiers

RÉSER...

Vallée du Ferlo

PARC NATIONAL DE LA LANGUE DE BARBARIE

SAINT-LOUIS
Aéroport

LOUGA

Lompoul

Kebemer

Houolof

Dara

Fâs Boye

Mboro

Mekhe

Tivaouane

DIOURBEL

Touba

Kayar

THIÈS

Mbacke

Cap Vert

Bambey

DAKAR
Aéroport

Gorée

Toubab Dialo

Popenguine

Somone

DIOURBEL

THIÈS

Gossas

SINE SALO...

MBOUR

Nianing

FATICK

KAOLACK
Aéroport

Kaffrine

JOAL-FAKIOUTH

Djiftere

Sine

Saloum

Niodor

Sokone

Nioro du Rip

PARC NATIONAL DU DELTA DU SALOUM

BANJUL
Aéroport

GAMBIE

Abene

Kafountine

Sitokoto

Soungrougrou

Bignona

Diola

Sedhiou

ZIGUINCHOR

Cap Skirring

Kabrousse

PARC NATIONAL DE BASSE-CASAMANCE

URITANIE

Podor
Aéroport

Toucouleur

FLEUVE

SÉNÉGAL

LVO-PASTORALE
X-FORAGES

guere

Sarakollé

RÉSERVE DE FAUNE
DU FERLO SUD

Matam
Aéroport

DÉSERT DU FERLO

Bakel
Aéroport

SÉNÉGAL ORIENTAL

MALI

Sérrère

TAMBACOUNDA

Peul

Malinké

Niokolo Koba

Velingara

AMANCE

LDA
oport

PARC NATIONAL
DU NIOKOLO KOBA

Foula

Pays Bassari

Kedougou
Aéroport

GUINÉE BISSAU

GUINÉE

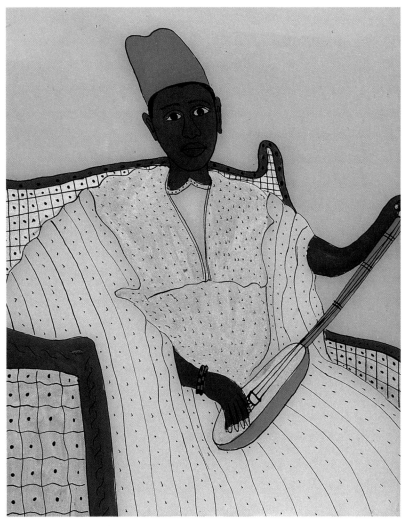

LE GRIOT

L'EXISTENCE de cette caste de musiciens-conteurs-poètes-généalogistes professionnels est une des originalités des sociétés traditionnelles en Afrique de l'Ouest. Le phénomène ne se rencontre pas partout en Afrique Noire ; il est particulièrement vivace au Sénégal.

Un proverbe peul assure : ''Le monde sans griot serait fade comme le riz sans la sauce''. Le griot occupe en effet une place fondamentale dans la vie collective. Ses fonctions correspondent à des besoins sociaux parce qu'il est la mémoire des peuples, il transmet ''l'héritage des oreilles'', il maintient à vif le sens de l'honneur, les rites, tout ce qui relie les vivants à leurs morts. Bouffon, amuseur, conteur, il remplace avantageusement la ''télé'' dans les veillées du village... Mais il est également investi d'un pouvoir beaucoup plus important sur les esprits car sa fonction tient aussi à des besoins psychologiques essentiels. Bien sûr, on peut songer ici au besoin si humain d'être flatté, de gagner un peu de gloriole. Mais ce serait mal comprendre l'importance du griot que de s'en tenir là : par son statut de ''casté'', de non-être, il n'appartient à aucune hiérarchie, il n'est prisonnier d'aucun tabou, d'aucune étiquette. Il a donc la liberté de dire tout haut ce que les non-castés ne peuvent penser que tout bas : il est la soupape de sécurité de la conscience collective.

Au terme de leurs longues années d'apprentissage, au sein de la famille d'abord, puis chez quelque maître réputé, ils savent à merveille faire vibrer la corde de l'émotion esthétique si sensible dans le public sénégalais. Capables de vous faire passer de l'enthousiasme épique à la tendre nostalgie, de célébrer l'amour ou de chanter la gloire. Capables, au seul rythme de leurs tambours, de faire bondir tout un peuple !

Deux des instruments favoris des griots : le khalam (à gauche), la kora (à droite).

Double page suivante :
L'île, cœur de la cité de Saint-Louis, d'où est partie, voici 350 ans, l'histoire de la présence française au Sénégal.

Le général Faidherbe.

SAINT-LOUIS

N'AYONS pas crainte des paradoxes. A Saint-Louis, ce qui frappe dès l'abord, c'est l'impression de luxe. Oh ! je sais bien que les murs écroulés, les ruelles défoncées, les ruines, parlent plutôt de misère et de déchéance. Mais il faut se représenter Saint-Louis pour ce qu'elle fut : une ville de pierre et de brique, quand l'Afrique était celle des villages de paille et de banco. Les maisons restées debout — et elles sont tout de même la majorité — témoignent de l'aisance, de la richesse des bâtisseurs, amateurs d'arcades symétriques, de volées d'escaliers contournées, de frontons décorés. Saint-Louis fut la ville du commerce, de l'argent vite gagné, d'une vie douce aux privilégiés, des marchands de gomme arabique ou de chair noire. Les vérandas alanguies, les balcons donnant sur la rue disant assez quelle fut l'importance du temps du loisir. Et quand les vieilles grand-mères sortent de leurs coffres les splendides robes de broderie anglaise, les bijoux d'or, on comprend ce que fut le temps de la fête pour les maîtres de l'heure.

Les rues de Saint-Louis, écrasées de soleil, ne bruissent parfois que du pas feutré des passants.

La bigarrure des boubous anime les places publiques, à l'ombre des cocotiers ou des palmiers.

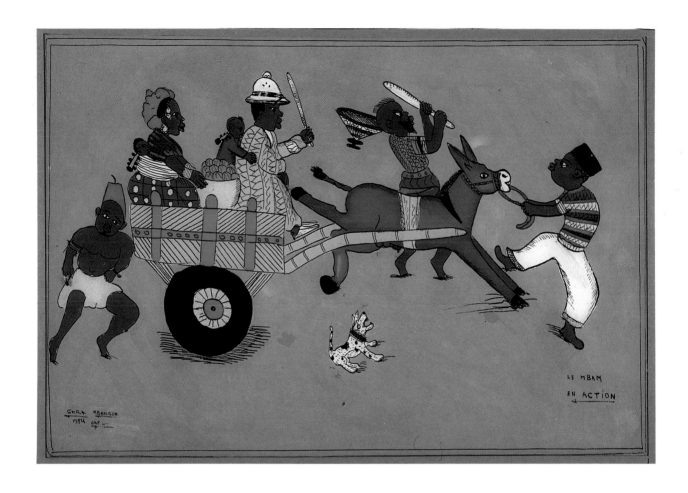

Française par l'histoire, l'urbanisation, la vie culturelle et sociale : soit ; et pourtant, si profondément africaine : tel est le paradoxe attachant de Saint-Louis qui n'a jamais oublié, même aux heures les plus brillantes d'une implantation étrangère qu'elle s'appelle ''Ndar'' de son nom wolof. Cette africanité indéniable imprègne les mentalités, le tissu social. Le vieux fond nègre animiste n'a même jamais complètement disparu. Si la ville s'enorgueillit de ses vieilles églises et de ses nombreuses mosquées, elle a aussi son génie protecteur, né avec les plus anciennes traditions noires. Mame Coumba Bang, qui habite dans le fleuve, près du Pont Faidherbe, veille sur la cité, comme le fait sa cousine de Gorée, la fameuse Mame Coumba Castel. Animisme encore, chez les hommes de la mer : leur étrange cimetière défie l'orthodoxie islamique ou chrétienne. Les pêcheurs morts, dans la houle des dunes, à l'ombre des filets et des rames fichées dans le sable, y continuent de fantomatiques navigations.

Le goût africain de la fête est encore plus fort à Saint-Louis que nulle part ailleurs. Lorsqu'il s'agit d'accueillir un hôte étranger, Ndar se surpasse pour se montrer à la hauteur de sa réputation : danses éperdues, régates et fanals.

Saint-Louis a connu son apogée tout au long du XIXᵉ siècle. Sa fortune, c'est le commerce, mais plus celui de la gomme (3 000 tonnes en 1840) que celui des esclaves. Oh ! bien sûr, les grosses maisons ne dédaignent pas d'arrondir un peu leurs bénéfices par cette pratique. Mais la grande affaire, c'est le flux de marchandises qui circulent sur le fleuve.

Et Saint-Louis se donne des allures de grande ville, de capitale même. Capitale de l'A.O.F. jusqu'en 1905, capitale du Sénégal jusqu'en 1957 (Dakar est alors capitale fédérale), capitale de la Mauritanie jusqu'en 1960. Une triple couronne a de quoi faire

tourner les têtes ! Saint-Louis fait des rêves impériaux, se donne une architecture à la mesure de sa puissance et de ses ambitions. Un hôtel du gouvernement (où rôde encore le souvenir de Faidherbe qui y a, paraît-il, laissé son piano et un coffre clouté où il conservait ses papiers), un Palais de justice, les casernes d'Orléans qui encadrent la place principale au nord et au sud, tout cela compose un ensemble monumental que n'a pas Gorée et que vient couronner, en 1897, le pont Faidherbe avec ses 506 mètres de poutrelles métalliques, symbole de l'orgueil de la cité.

De plus, Saint-Louis accroche à son palmarès une impressionnante série de premières places. Plus vieux répertoires d'état-civil (1732), premier établissement d'enseignement (1816), première mairie, premier lycée... Dans ses écoles, Saint-Louis couve des générations d'hommes illustres.

Puis, à partir des dernières années du XIXᵉ siècle, la roue tourne. La gomme est remplacée par des produits de synthèse ; la nouvelle richesse du Sénégal, c'est l'arachide, évacuée par Rufisque et Dakar. En 1886, le chemin de fer tue le commerce du fleuve. Le déclin économique commence, entraînant à court terme le déplacement du centre de gravité politique vers le Sud. Saint-Louis perd ses couronnes les unes après les autres. Aujourd'hui chef-lieu de région, on la baptise de temps à autre ''capitale du Nord''. Par tendresse ou par dérision ?

Après 1960, c'est la malchance, la malédiction. Volontarisme politique, comités de rénovation, dépenses spectaculaires : rien n'y fait, la déchéance est inéluctable. Les échecs succèdent aux faillites... Un espoir sérieux, pourtant, se concrétise : l'aménagement du fleuve Sénégal, devenu une réalité avec l'achèvement du barrage de Diama en 1986, peut rendre à la cité déchue ses fastes d'antan.

Le ''borom sarret'' — le charretier est un des personnages marquants des scènes de rue. Ses mésaventures ont inspiré peintres et cinéastes.

Double page suivante :
Jour de régate, jour de fête ! Chaque village ou chaque quartier de pêcheurs entretient jalousement sa pirogue de course.

En haut :
Fadiouth, la ville-polder.

Ci-dessus :
L'indiscrétion des vues aériennes permet de découvrir dans leur écrin de mangrove, les petits villages blottis dans les replis du fleuve Saloum.

Ci-contre :
Les greniers à mil, bâtis sur pilotis, sont mis à l'abri des rongeurs.

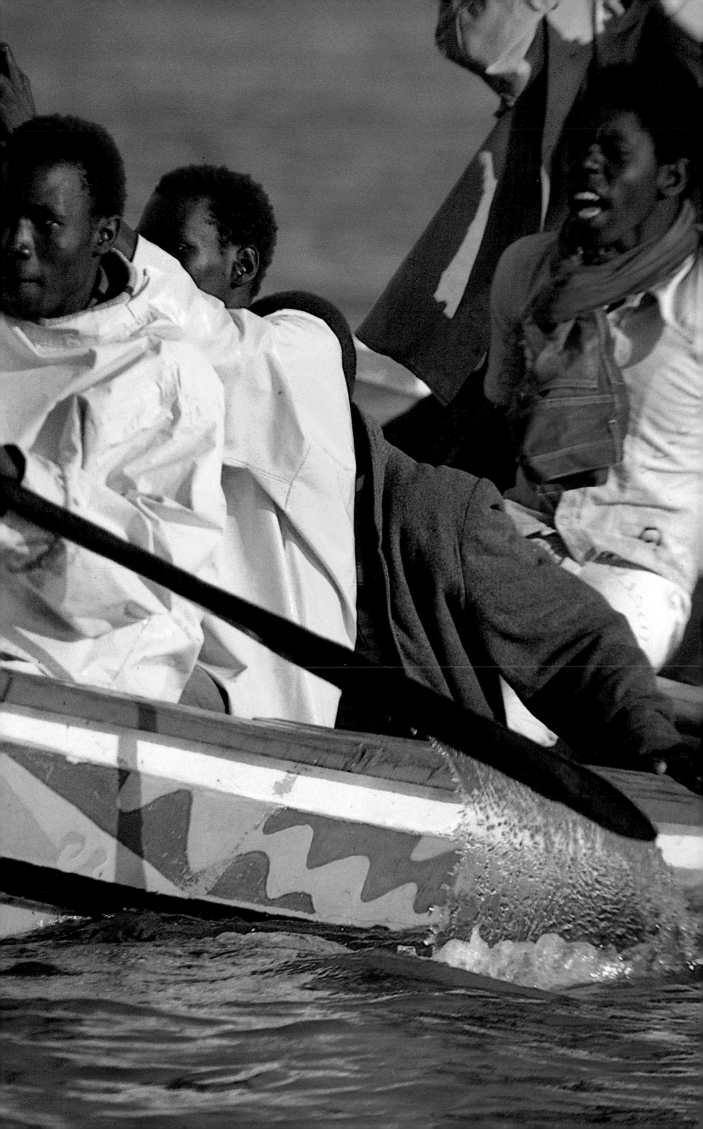

LA PETITE CÔTE

SUR la Petite Côte, le gouvernement sénégalais surveille avec sagesse le développement de l'activité touristique, où un pays fragile peut vendre son esprit, son équilibre ancestral, ses valeurs morales et religieuses contre une poignée de devises. Il tient la main à ce que les hôtels ne bétonnent pas le front de mer et ne semble pas rechercher l'option du tourisme de masse à bon marché. La Petite Côte est très loin d'être la Costa Brava : les structures d'accueil s'installent assez loin les unes des autres pour que les plages immenses continuent de ressembler à celles du premier matin du monde. A la Somone, le relais du Baobab a pris la place d'un ancien campement plus rustique dont les vieux Dakarois se souviennent avec nostalgie. Le site est exceptionnel : en remontant le cours de la rivière Somone, on rencontre, si près de Dakar, déjà la mangrove et ses oiseaux, pélicans ou hérons : un petit coin préservé de flore et de faune vierges. Vingt kilomètres plus loin, Sally groupe une demi-douzaine d'hôtels autour de petites baies, sur un domaine immense. Après Mbour s'étend le domaine de Nianing où un patron grec proprement jupitérien reboise la brousse et chouchoute ses hôtes. Enfin, à peu de distance de Nianing s'est installé un club de vacances à la clientèle principalement germanique. Le village-hôtel s'est choisi un nom qui résume bien tout l'esprit de la Petite Côte : Aldiana — en wolof : le Paradis.

Double page précédente :
A l'ombre du fromager, quelques pêcheurs, la pirogue du passeur, les femmes pour l'éternelle corvée d'eau : scène ordinaire de la vie paisible des rives.

La petite côte, outre ses activités touristiques, abrite des centres de pêche importants. A Mbour, on fume le poisson sur des feux de paille.

Les gens de Cayar prennent des requins, qu'on appelle en wolof ''gaïndé-guej'' : les lions de la mer.

CAYAR

DAKAR bénéficie, malgré l'étroitesse de la presqu'île, d'un arrière-pays suffisamment étendu et varié pour qu'il lui procure de nombreux avantages. Ressources agricoles — pour alimenter le ventre de la métropole en légumes frais ; ressources halieutiques, pour le sacro-saint riz au poisson ; mais aussi ressources touristiques pour la distraction du vacancier : les villages lébous, le lac rose, la route des Niayes, Cayar, la Petite côte, que la présence de Dakar fait vivre et anime.

Au bout de la route, Cayar. Mythes d'hier et réalités d'aujourd'hui ! Pour franchir, à la rame, la haute barre et les déferlantes, il fallait que les piroguiers déploient toutes les qualités d'adresse et de force afin de se laisser prendre puis porter jusqu'à la grève par la bonne vague. Fameux spectacle, dont les pêcheurs se seraient bien passés d'être les vedettes — eux qui, perdant dans les naufrages toute la pêche et les filets, en étaient trop souvent les victimes. Depuis quelques années, la motorisation des pirogues permet des retours faciles ; Evinrude a tué le frisson du touriste. Reste tout de même, pour le plaisir des yeux, les couleurs des embarcations, l'animation de la plage qui sert de marché marin, la technique pittoresque de la lente remontée des pirogues sur la partie haute de la grève.

Double page précédente :
Le travail est moins fastidieux lorsqu'on peut l'ennoblir par la conversation...

Avec 300 000 tonnes de poisson mises à terre chaque année, on comprend que les activités de la mer soient parmi les premières dans l'économie sénégalaise.

31

L'UNIVERS SÉRÈRE

DANS l'ensemble sénégalais, on rencontre une grande variété de terroirs ; du Fleuve aux forêts du Sud, on change de planète. Si la Casamance s'est taillée aujourd'hui une réputation — méritée — d'originalité, il serait pourtant injuste d'oublier sa voisine, située à mi-chemin entre Dakar et le Sud : la région du Sine-Saloum. A la fois terrien et maritime, peuplé essentiellement de Sérères, dont l'unité linguistique n'empêche pas de forts particularismes locaux, ce pays est à lui tout seul un monde différent, où l'insolite surgit souvent, inscrit dans la géographie même, ou dans la culture très ancienne de ses habitants.

Ces hommes de la terre, ces ''petits paysans têtus'', comme le disait avec tendresse Senghor, qui est Sérère, ont conservé bien des traditions animistes. Dans les îles les plus reculées, il est d'ailleurs probable que survivent les cultes des Pangols, qui sont les esprits du monde invisible. La collectivité sérère, largement convertie à l'Islam ou au Christianisme, n'en demeure pas moins gardienne de ses racines ancestrales. Elle honore toujours ses ''saltigués'', sages vieillards chargés des relations avec le monde des Pangols, qui possèdent le pouvoir de divination et savent donc prévoir les premières pluies.

Un autre trait particulier à la civilisation sérère, c'est moins l'existence d'une collectivité chrétienne — il y a aussi des chrétiens en Casamance, peut-être même en plus grand nombre — que la manière dont ce peuple vit sa chrétienté. En pays Sérère, la chrétienté est plus ostentatoire, plus triomphante que partout ailleurs. Il y a à cela une foule de raisons ; l'implantation missionnaire est ici très ancienne : elle remonte peut-être même aux premiers débarquements portugais au XVIᵉ siècle ! En tout cas, le Sérère catholique se considère un peu comme le fils aîné de l'Eglise sénégalaise. Popenguine s'enorgueillit d'abriter un lieu de pélerinage vers la grotte de la Vierge Marie qui déplace, chaque lundi de Pentecôte, des milliers de fidèles.

Fadiouth, l'île tout entière catholique (ou presque : il y a bien une mosquée, mais elle n'a pas le minaret dominateur) illustre ce sentiment religieux. Au carrefour des rues, des statues votives ; au centre de l'île, une église imposante ; au bout de la passerelle, le cimetière sur les coquillages, où la croix domine les baobabs. Et, début décembre, la fête du Saint patron de l'île, François-Xavier, qui remplit les ruelles éblouissantes de processions ferventes, de chorales, de ''voix païennes rythmant le Tantum Ergo'', comme le dit Senghor en se souvenant des cérémonies de son enfance.

Paysan, oui, jusqu'à l'épiderme. Au Sénégal, on reconnaît le Sérère à la noirceur de sa peau. On dit ''noir comme un Sérère'', en hommage aux vertus de cet homme qui ne craint pas d'affronter le soleil en plein champ. Mais homme de la mer, aussi.

Le poisson-roi du repas sénégalais, c'est le thiof. Mais les cuisinières savent accomoder bien d'autres espèces.

L'arrivée à Kaolack, capitale administrative de la région du Saloum, signale bien cette ambivalence. Sur le sol infiniment plat des "tanns", deux sortes de collines rythment l'horizon : les montagnettes beiges des seccos d'arachide, et les prismes étincelants des 100 000 tonnes de sel que produisent, chaque année, les marais salants d'alentour. D'ailleurs, à Kaolack, peuvent encore arriver ("pourraient" serait plus juste — car l'activité économique portuaire est aujourd'hui quasi-nulle) des cargos de haute mer par l'estuaire du Saloum.

L'extraction du sel est une des activités traditionnelles des gens que la tradition nomme "les peuples salés". De Fatick partent encore, plusieurs fois par an, des caravanes de chameaux guidées par des "harratines" noirs (appellation maure pour "esclaves affranchis").

Elles transportent le sel jusqu'à Gossas ou les marchés de l'intérieur, et rapportent du mil. Il y a là une survivance étonnante d'un ancien système économique : ce n'est pas un des moindres charmes du pays sérère que d'offrir ainsi, à qui sait les voir, autant de témoignages de la vitalité des traditions.

De cette permanence si vivace d'activités immémoriales, comment douter encore après avoir vu les femmes ramasser, dans la vase des "bolongs", les coquillages bi-valves (les "pagnes") pour faire cuire et exporter ainsi des tonnes de chair vers les régions où manquent les protéines animales. Cette exploitation dure depuis des millénaires, et a créé les gigantesques amas coquilliers que l'on rencontre un peu partout sur la côte et dans les îles.

L'ancienneté de certaines bourgades, le long de la côte ou des chenaux navigables dans le delta, leur donne une grace alanguie qui n'est pas sans rappeler Saint-Louis ou Gorée. Palmarin, sur la pointe de Sangomar, aujourd'hui mirage tremblant et fragile sur l'étendue désertique des "tanns", servait d'escale aux navigateurs portugais dans leur exploration des côtes africaines. Joal fut autrefois une esclaverie florissante. Aujourd'hui, sous "les palmes balancées qui bruissent dans la haute brise nocturne", rêvent les maisons coloniales aux balcons de bois, aux vérandas ombreuses, que le poète Senghor, enfant du pays, a peuplé de son imagination et de sa musique.

Au cœur le plus secret de l'univers sérère, il y a la planète Niominka, un minuscule terroir situé à des heures de pirogue de la moindre route. Les Niominkas parlent sérère, mais ont conservé farouchement leur autonomie sociale et culturelle.

Les capitales de ce petit monde paradisiaque sont les cités-sœurs de Dionewar et Niodior. Toute l'histoire des deux bourgades est jalonnée de rivalités parfois pittoresques, parfois mesquines. En 1947, lorsque Dionewar eut la première école de la région, les gens de Niodior refusèrent d'y envoyer leurs enfants ! Aujourd'hui, Niodior est sous-préfecture ; mais Dionewar se console : c'est en son sein que se recrutent encore les maîtres des génies de la mer, particulièrement nombreux vers la pointe de Sangomar. Elle a une prééminence morale, une priorité d'ancienne... la seule qui compte en Afrique !

Et puis, qu'importe ces querelles... Dans l'une et l'autre cité, c'est la même impression de paix qui s'établit, le même sentiment qu'on foule ici le sol d'un des derniers endroits préservés du monde. A l'ombre des cocotiers, les minarets des deux mosquées lancent le même message, développent la même philosophie, qu'on peut juger, tant que l'on voudra, naïve et simplette, mais dont on peut vérifier, sur pièce, l'efficacité : "pour vivre heureux, vivons cachés !"

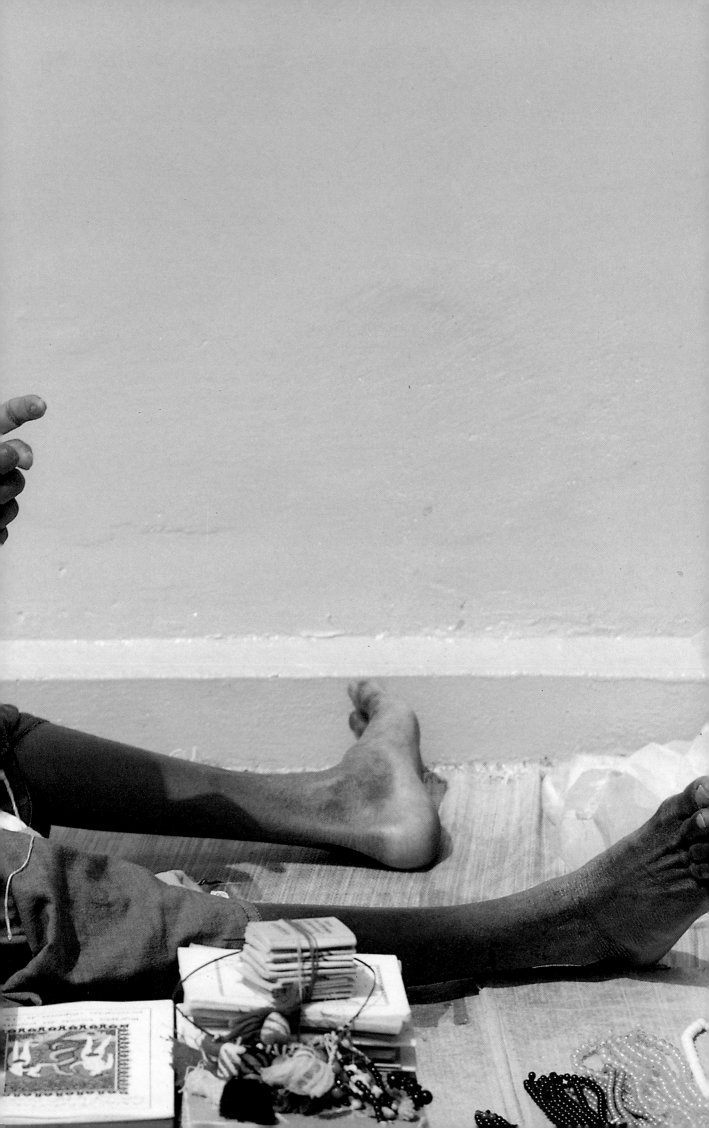

UNE MÉGALOPOLE
AFRICAINE : DAKAR

Son Excellence le Président de la République du Sénégal, Abdou Diouf.

Le palais présidentiel domine la corniche.

Devant le palais de l'Assemblée Nationale, la garde républicaine, dont l'uniforme rappelle la tenue d'apparat des princes sénégalais du XIXᵉ siècle.

Double page précédente :
La presqu'île du Cap-Vert où s'est bâti Dakar. Au premier plan, le Cap Manuel porte le nom d'un des premiers navigateurs portugais du XVᵉ siècle qui ouvrirent à l'Europe le chemin de l'Afrique.

DAKAR a été fondée vers le milieu du siècle dernier par des administrateurs coloniaux qui trouvaient Gorée trop petite pour leurs ambitions. Au commencement, il n'y avait rien, sauf l'essentiel : de l'eau douce, des forêts, du poisson abondant. De quoi faire vivre, il y a 4 ou 5 000 ans, quelques vagues hordes néolithiques.

La scène s'anime un peu lorsqu'arrivent les Lébous qui viennent de quitter le royaume wolof du Cayor. Ils s'y retranchent pour organiser leur état, y fondent des villages qui subsistent (quoique touchés par la fièvre urbaine) : Ouakam, Yoff, Ngor, Cambérène... et certains autres avalés par la ville, qui ne subsistent plus que comme des noms de quartier : Fann-Hock, Soumbedioune, Hann. Les Français rêvent de s'installer sur cette presqu'île si commode : tout se décide et se fait vers le milieu du XIXᵉ siècle. Timidement, d'abord : en 1832, les Goréens achètent la pointe de Bel-Air pour y placer... le cimetière (qui existe encore aujourd'hui). Puis, avec plus d'assurance, arrivent

les "trois m" : les marchands, les missionnaires et les militaires. En 1845, la mission catholique s'installe sur l'emplacement de l'actuelle mairie. En 1857, le commandant Protêt achève son fort, sur le terrain appartenant au commerçant Jaubert, place de l'Indépendance — là où siège maintenant l'immeuble de la B.I.A.O. Tout ira désormais très vite.

Trajectoire fulgurante, ponctuée de chiffres flamboyants : 100 000 habitants en 1936, 500 000 en 1965, près d'un million aujourd'hui. Mais comparée à Gorée ou à Saint-Louis, Dakar ne peut faire oublier qu'elle est une "parvenue", une nouvelle riche sans passé, malgré quelques bons exemplaires du "style colonial", comme les bâtiments du marché kermel.

En haut, à gauche :
Le marché Kermel, au cœur du vieux Dakar.

En bas :
Les pavillons des dix régions du Sénégal sont un des fleurons de l'ensemble architectural de la Foire Internationale, bâti près de Dakar.

La place de l'Indépendance fait co-
habiter le modernisme et le respect
du legs colonial. Au pied de l'hôtel
Indépendance, la Chambre de
Commerce.

Pas de quartier de noblesse : mais la puissance. Dakar a été faite pour commander à un empire colonial qui s'étendait de la Mauritanie au Dahomey. La ville porte encore aujourd'hui les traces de cette fonction prestigieuse. Jusqu'en 1958, elle était capitale de l'A.O.F. et, à ce titre, abritait les services fédéraux et leurs directeurs. On fit alors à la métropole une parure de princesse, une guirlande de palais, d'immeubles, de villas de fonctions, de bâtiments officiels à la mesure de cette importance. Le legs immobilier en est considérable.

Au cœur du Plateau, on peut voir la trace de cette mégalomanie impériale. L'imposant bâtiment de l'Assemblée Nationale — qui abrite aujourd'hui 120 députés — était le siège du grand

45

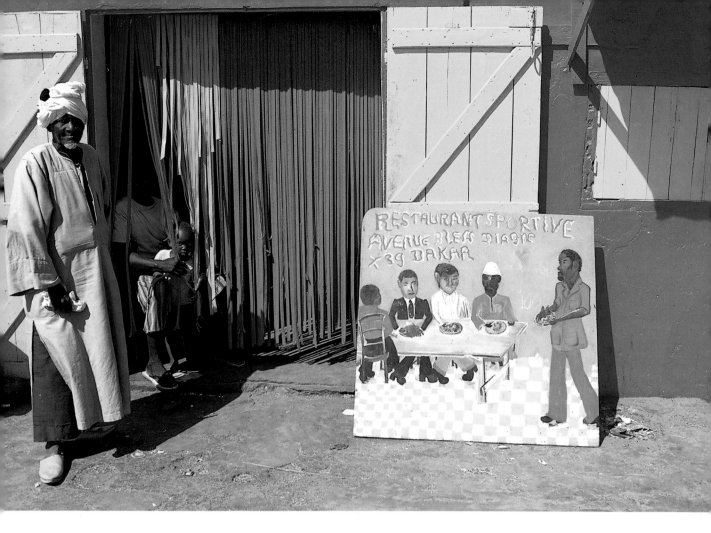

Conseil de l'A.O.F. Le musée de l'I.F.A.N. — aux collections remarquables, qui proviennent pour la plupart de Côte d'Ivoire, du Bénin, du Mali alors administrés depuis Dakar — est l'ancien ''palais'' du Directeur Général des Postes de l'A.O.F. Après 1960, Dakar s'est enrichie, au moment du premier festival mondial des Arts nègres (1966), du théâtre Daniel-Sorano, dont beaucoup de villes européennes s'enorgueilliraient, du Musée Dynamique, posé comme un temple grec aux bords de la baie de Soumbedioune. L'ambition de redevenir, comme aux temps de l'Empire, une place économique de premier plan, a fait surgir de la brousse, près du village de Yoff, les bâtiments de la ''Foire internationale''.

Les institutions communautaires, comme la Banque Centrale des Etats de l'Afrique de l'Ouest, ont bâti près du port un immeuble de fière allure, dû à un architecte sénégalais qui a reconnu s'être inspiré des contreforts des fromagers de sa Casamance natale pour dessiner les assises de la tour.

De son passé, Dakar a hérité une autre caractéristique prometteuse pour l'avenir. Capitale de l'Empire, la ville a été — et reste encore aujourd'hui — le rendez-vous de tous les peuples, de toutes les ethnies. L'A.O.F. entière s'y trouvait représentée par ses fonctionnaires fédéraux qui y firent souche : aujourd'hui, dans l'annuaire des téléphones, des noms béninois, voltaïques montrent que souvent des familles sont restées sur la terre d'accueil. Maliens, Guinéens, Mauritaniens vivent en très grand nombre à Dakar. On compte aussi, dans certains quartiers, une colonie cap-verdienne qui fait souche et s'intègre au ''meltingpot'' dakarois. Plus surprenante est la présence de quelques ''indochinoises'' ramenées par les tirailleurs sénégalais de leurs campagnes militaires à l'autre bout de l'Empire ! Ces dames, qui nasillent admirablement le wolof, tiennent, en pantalon de soie, des échoppes au marché Kermel ; elles ont ouvert des restaurants... de cuisine chinoise, évidemment. En Médina, on tombe parfois sur des bars peints de couleurs violentes, rouge, jaune, qui évoquent plus l'Annam ou le Tonkin lointains que le Sahel.

Tout est prétexte au grand déferlement des couleurs. Les marchands de vaisselle rivalisent avec les fleuristes, le plus humble restaurant devient une galerie de peinture naïve, et le studio du photographe se métamorphose en décor de conte oriental.

A titre de curiosité — mais n'importe quel Dakarois les connaît — il faut mentionner les quelques Haoussas du Niger qui viennent chaque année à Dakar, au moment de la saison sèche, vendre leurs médicaments traditionnels. Vers le marché de Colobane, on reconnaît les hommes à leur chevelure tressée. Les femmes, réputées comme diseuses de bonne aventure, ont de très grands cercles d'or dans les oreilles. Quelques milliers de Libanais, arrivés ici depuis plusieurs générations, quinze milliers de Français enfin achèvent de faire de Dakar une ville très cosmopolite, et démontrent chaque jour que le sens de l'hospitalité, l'accueil souriant ne sont pas ici des mots creux. La téranga sénégalaise existe, et tous ces peuples vivent et travaillent ensemble sans qu'il soit possible de déceler la moindre trace de xénophobie ou de friction inter-communautaire.

On dit que Dakar n'est pas le Sénégal : rien de plus faux sur le plan humain. La capitale est un composé de toutes les ethnies du pays, où ne dominent même plus les Lébous, premiers occupants du site. Ce sont les wolofs qui sont majoritaires : un dakarois sur deux est un fils de Ndiadiane Ndiaye ; et l'exode rural, venu du Baol, du Cayor, du Walo, en renforce chaque année la prééminence. La ville a fait d'ailleurs de la langue wolof la langue de communication inter-ethnique unique. Les Toucouleurs du Fleuve — 15 % — sont aussi nombreux que les Lébous. Les Sérères et les Diolas ne manquent pas.

A l'origine, chaque ethnie avait son fief. Les Toucouleurs dans le quartier de Rebeuss, les Sérères à Niari-Talli, les Diolas à Fass — mais les Wolofs : un peu partout. Aujourd'hui, cette répartition s'estompe. Et le brassage démographique et social imposé par la grande ville, le fait que des gens aux racines culturelles parfois très différentes soient confrontés quotidiennement aux mêmes difficultés, le développement d'une langue commune : toute cette alchimie fait de Dakar un creuset national où se fondent, pour disparaître, les particularismes. Un proverbe wolof note que ''Celui qui va à la ville change de boubou''.

GORÉE

L' ILE de Gorée, en face de Dakar, a été classée par l'UNESCO parmi les quelques sites mondiaux qui jalonnent l'histoire de l'humanité.

De fait, on ne peut poser le pied sur le basalte de l'île sans ressentir le ressac de la mémoire. Gorée, "découverte" par les Portugais au XVᵉ siècle, baptisée par les Hollandais au XVIᵉ, occupée, fortifiée, canonnée, reconstruite par les Français et les Anglais tout au long de l'histoire coloniale est saturée de lieux-témoins, de demeures-musées. Chaque ruelle aurait de quoi remplir un volume d'anecdotes.

Pourtant, ce qui l'emporte à Gorée sur la froide chronologie, c'est la mémoire affective. Un étrange sentiment de tendresse parcourt toute l'île, comme un signe magique. Je risquerai une première explication : Gorée est une île-femme, tout entière marquée par le règne des signares, véritables maîtresses du lieu quand les colons européens n'étaient au fond que des visiteurs en transit.

Les signares — le mot est d'origine portugaise — étaient les épouses à la mode africaine des Européens expatriés. Le Chevalier de Boufflers épousa ainsi Anne Pépin ; à Saint-Louis, Faidherbe eut une compagne africaine. Le droit reconnut jusqu'en 1830 ce mariage coutumier et provisoire. La femme goréenne tirait de ces épousailles prestige et facilités pour mener ses affaires. Car ces dames ne furent pas de beaux objets alanguis, passant leurs journées sur les vérandas ; énergiques, avisées, elles bâtirent une véritable puissance économique qui s'est inscrite dans la mémoire des pierres.

Mais ces signares n'eussent pas été femmes, si, à côté des affaires, elles n'eussent pas prêté attention aux toilettes et aux bijoux — poussant le souci de l'élégance jusqu'à soigner leur entourage même. Les signares fondèrent la réputation d'élégance de la femme goréenne qui survit de nos jours dans les merveilleuses robes de dentelles et de broderie si légères, si souples pour épouser la grâce des corps.

"Lourd vaisseau démarré des rives atlantiques", le rocher basaltique de Gorée ferme la rade de Dakar.

Double page suivante :
Autour de la plage de Gorée, tous les témoins du passé fastueux de l'île, dont la moindre bâtisse — sans parler des forts et des demeures d'apparat — pourrait prétendre, comme la "Maison des Esclaves", à la dignité de monument historique.

Paradoxes de ce lieu magique : à Gorée, tour à tour, les venelles ombreuses se referment, endormies, sur leur paix séculaire, ou bien, en somptueuses échappées, ouvrent sur les buildings dakarois de l'an 2000.

Gorée a bâti sa fortune sur la traite des esclaves. Sa grandeur est née de la haine. Elle n'a de cesse aujourd'hui de refouler ce passé affreux, par un sens du pardon que pourraient lui envier bien des communautés humaines. Tout, pourtant, justifierait la rancune, le refus de l'oubli. Il y aurait de quoi, dans cette petite île, cultiver le souvenir perpétuel de la méchanceté des hommes d'Europe. En deux siècles, des dizaines de milliers d'êtres humains ont transité par cette geôle ; l'île a retenti des cris des esclaves fouettés, des familles séparées à jamais ; l'atroce fumée des chairs brûlées — on marquait les esclaves au fer rouge — a obscurci le bleu tranquille par dessus les toits. Chaque maison ou presque était une esclaverie. Si, aujourd'hui, on ne parle que d'une ''maison des esclaves'', on ne doit pas oublier qu'il y a, dans l'île, bien vingt ou trente demeures dont les murs, s'ils pouvaient parler, raconteraient d'infâmes histoires...

Eh bien, le miracle de Gorée est qu'ici triomphe la ''téranga'' sur la rancune. Le conservateur de la ''Maison des esclaves'' cultive le pathétique — et il a raison de rappeler ce que fut le commerce du bois d'ébène. Mais une fois que le visiteur quitte cette demeure, il replonge dans une atmosphère toute différente. Tout se passe comme si Gorée avait trop souffert de la haine pour en éprouver à son tour. Quel peuple, quel lieu au monde peut ainsi manifester plus de grandeur dans le pardon ?

Ici, toute l'agitation, toute la méchanceté du monde sont touchées par l'enchantement de la fée Mame Coumba Castel. Voyez en effet la puissance de cette magie ! Jamais île ne fut si formidablement fortifiée, ceinturée de forts, bardée de canons ; aujourd'hui les obusiers servent de bancs publics, le Fort d'Estrées est transformé en Musée, les toits des casemates enterrées du Castel sont transformés en jardins potagers...

Quant aux fastes et à la grandeur d'antan, ils sont trop anciens (le déclin de Gorée commença avec la fondation de Dakar, au milieu du XIXe siècle) pour engendrer aujourd'hui l'amertume. D'ailleurs, comme le dit la devise de l'île : ''Revit toujours Gorée''. La proximité de Dakar, qui fut autrefois l'occasion de la perte, est aujourd'hui la chance.

UNE TERRE DE FOI

COMMENT parler de l'Islam du Sénégal en quelques lignes, alors que la religion, ici, demeure la valeur suprême ? Les Sénégalais sont à près de 90 % musulmans ; ils peuvent même s'enorgueillir d'avoir été parmi les premiers, en Afrique Noire, à s'être convertis.

Les plus anciens foyers d'islamisation remontent à l'an Mil, sur le Fleuve.

Il faut donc renoncer aux détails, ne retenir que les traits majeurs. Le Sénégalais est un bon musulman, dont la pratique religieuse est apparemment très orthodoxe. Les cinq piliers fondamentaux de la Révélation y sont honorés : la prière, cinq fois par jour ; le jeûne : le mois de Ramadan est le plus sacré du calendrier ; le pélerinage à La Mecque — pour ceux qui en ont les moyens ; la charité ; et, répétée tout au long du jour, en toutes occasions, la « Chahada », le témoignage du croyant, l'affirmation de la certitude qui le guide : il n'y a qu'un seul Dieu, c'est Dieu.

La vie religieuse, au Sénégal, est dominée par les confréries. Les Tidjanes sont les plus nombreux — deux millions —, mais le Mouridisme, dont Cheikh Amadou Bamba (1850-1927) fut le premier guide, est la ''voie'' la mieux organisée. La puissance de ses marabouts, le prestige de ses rassemblements annuels lors du Magal de Touba, la simplicité convaincante de son enseignement exercent une séduction croissante sur l'opinion. Et, ajoutent les optimistes, tiennent ainsi le Sénégal musulman à l'écart des tentations intégristes.

D'autant plus que le Sénégalais, toutes opinions confondues, est fondamentalement tolérant. Le Croissant et la Croix font ici bon ménage. Ce n'est pas l'une des moindres vertus de cette terre de Foi.

Solennelle simplicité des jours de grande prière. La foi ardente n'a pas besoin d'un décorum compliqué. Le peintre a fixé, sur son verre, cette image de la sobriété qui est le fondement du mysticisme.

Double page suivante :
''Et la mer répétait, par l'infini des vagues,
L'immense ondulation des orants prosternés''.

La majestueuse mosquée de Touba, capitale spirituelle des Mourides. Le minaret principal mesure 85 mètres.

Un ''baye-fall'', garde du corps des chefs religieux mourides. Son dévouement au marabout est légendaire.

Les pélerins sénégalais revenant de
La Mecque. Le titre de ''Hadj'' (Ad-
jaratou pour les femmes) les dési-
gnera au respect de tous.

Double page suivante :
Les vieux murs ornés des maisons
soninké, à Waoundé, s'illuminent
parfois de merveilleux sourires.

AU FIL DE L'EAU

LE fleuve Sénégal est bien davantage qu'un cours d'eau : un état d'esprit. Etre "du Fleuve", c'est posséder une certaine conception du monde, qui vous fait reconnaître entre tous dans la bigarrure sénégalaise. Aller "au Fleuve", c'est partir pour un voyage pas tout à fait comme les autres. Site attachant, privilégié, où le voyage tient un peu de la remontée dans le temps, des barrages et des complexes agro-industriels aux villages les plus farouchement arc-boutés sur leurs traditions ; où, d'une province à l'autre, d'une ethnie à l'autre, on peut balayer du regard quelques-uns des plus authentiques visages du Sénégal.

De Podor à Matam, et même au-delà, les mosquées de villages ponctuent le paysage, scandent l'expression de la foi dans leurs pures lignes courbes de banco. Jusqu'à ces dernières années, les paysans construisaient en terre, et obtenaient de véritables monuments architecturaux, d'une douceur de formes exceptionnelle. Chaque année, après la saison des pluies, il fallait renforcer les murs, refaire l'enduit. Caressées inlassablement par des centaines de mains, ces parois, ces ornements finissent par apparaître comme les produits du désir collectif, de l'attachement de toute une communauté à la terre et à la Foi. La mosquée de Guédé, près d'Aloar, a, paraît-il, abrité les prières d'El Hadj Omar. Elle a été classée monument historique.

De Richard-Toll au confluent de la Falémé, les traces de la conquête coloniale forment comme un collier : perles fines et pierres dures alternées, résidences gracieuses des gouverneurs à jabot de dentelle, fortins austères et rébarbatifs des militaires. A Richard-Toll, pour quelques années peut-être, la "folie" que le baron Roger se fit construire en 1820 est encore debout. Ce témoignage du passé mériterait un autre sort que celui d'abriter des bureaux administratifs.

Les forts militaires connaissent aussi des fortunes variables. Disparus du cadastre, emportés par les crues du fleuve qui se venge, comme à Matam. En ruine, comme à Dagana. En bonne santé, comme à Bakel. Depuis 1818, le fort commande la vallée. Aujourd'hui, il sert de résidence au préfet du département.

Si l'architecture traditionnelle recule rapidement, il existe encore quelques lieux privilégiés où l'habileté des architectes de la terre crue déploie ses merveilles. Ainsi, en pays Soninké, à Waoundé, au bord du fleuve. On ne sait ce qu'il faut admirer le plus, ou de l'habileté avec laquelle les habitants se protègent de la chaleur, inventent les courants d'air en ménageant des ouvertures savantes dans les murs (les "claustras"), ou de l'art avec lequel ils conjuguent à cette technologie très utilitaire une quête raffinée de l'effet esthétique. Les cloisons de claustras ne sont pas des murs percés d'ouvertures : ce sont des recherches savantes sur le parallélisme et l'asymétrie. A l'intérieur de la maison, les pièces sont décorées d'applications de peinture ; parfois même, dans l'argile du mur apparaissent, en bas-relief, des formes géométriques, que l'on retrouve d'une habitation à l'autre.

Le phénomène de l'émigration est un des traits dominants de la vie de ces cantons. On a parlé de tradition du voyage, on a évoqué poétiquement la fascination de cette eau qui coule interminablement vers l'Océan pour expliquer le désir de l'ailleurs. La réalité est plus prosaïque : le Toucouleur et le Soninké disent : "Séjourner à l'étranger vaut mieux que mourir". Le premier s'arrête, le plus souvent, à Dakar. Le second "trouve la route", et va grossir les cohortes de travailleurs émigrés en Europe, en France particulièrement, où l'on compte des milliers d'hommes originaires du petit pays soninké, des environs de Bakel.

Double page précédente :
Au bord du fleuve, la vie s'écoule lentement, au rythme paisible des travaux et des jours. Les habitants de Waoundé savent tirer parti des roseaux qui poussent sur les rives.

La conversation, au Sénégal, est un art véritable où s'expriment l'esprit d'ouverture et la tolérance qui sont les vertus majeures de ce peuple.

On a beaucoup parlé des émigrés ; mais toujours selon le
même point de vue, où l'on décrit l'homme noir en France. Un
voyage au Fleuve permet d'envisager le phénomène d'une
manière un peu différente, en mesurant la place que tient,
absent, le travailleur émigré dans la communauté qu'il a quittée.
Avec un peu d'humour et un peu de tendresse, d'abord, on l'a
baptisé d'un nom nouveau. Pour les siens, le travailleur émigré,

*Si l'argile des murs provient des
rives du fleuve, elle y retourne un
peu à chaque crue annuelle.*

Le chameau sait se passer d'eau
— mais il ne sait pas passer l'eau ! —
Piètre nageur, il faut lui tenir la tête
hors de l'eau et le haler lors de la
traversée du fleuve. Horrible concert
de blatèrements garanti.

c'est le "Walla Fendo". L'expression est d'origine toucouleur, difficile à traduire exactement : le walla fendo, c'est comme le lait qui passe la nuit dans la calebasse : on le retrouve caillé au petit matin. Le walla fendo, c'est celui que son séjour "dehors" transforme. Mais, comme pour se faire pardonner, le travailleur envoie "les mandats" : il entretient une innombrable famille, il paie pour la construction de mosquées nouvelles, il contribue surtout, en attendant la fin du cauchemar de la sécheresse, à ce que sa terre ne meure pas.

Le Fleuve, c'est la province un peu assoupie, encore hébétée du choc répété des sécheresses, saignée par l'émigration de ses fils. Mais nulle part ailleurs on ne peut mieux mesurer ce que signifie l'espoir. Les hommes restés au village, avec l'argent des émigrés, pensent certes à la vie éternelle et bâtissent des mosquées. Mais ils n'abandonnent pas pour autant cette vie terrestre. Des moto-pompes apportent l'eau dans les petits jardins, dans les vergers. Dans les villages, on m'a entraîné plus volontiers vers les quelques ares de verdure patiemment regagnés sur la brousse calcinée que vers la mosquée ou les quartiers anciens : tant il est vrai que le tourisme aussi est une aventure ambiguë ! Demain la société d'Aménagement du Delta, déjà bien implantée et mieux acceptée, profitant de la régularisation du débit par les barrages, permettra une mise en valeur à grande échelle de ces potentialités.

Jeux de mains, jeux de mots.

Ni mirage, ni montage ! Simplement, la fidélité au vêtement traditionnel, et le mimétisme, souvent inconscient, qu'engendre une vieille amitié.

UNE INDUSTRIE MODERNE

L E tissu industriel, trop exclusivement concentré à Dakar et dans la région du Cap-Vert, beaucoup trop dépendant de la "filière arachide" (il suffit d'une mauvaise récolte pour que les huileries tournent au tiers ou au quart de leur capacité) a entrepris cependant de s'étendre et de se diversifier.

Le secteur agro-alimentaire dakarois est un des plus anciens et des plus importants, avec ses conserveries de poisson, avec la fabrication de l'huile d'arachide et les tourteaux qui en sont dérivés. De grosses unités de trituration existent à Diourbel, à Kaolack, à Ziguinchor. Dans la région du Fleuve, autour de Richard-Toll, la compagnie sucrière produit, à partir de ses propres plantations de cannes, 70 000 tonnes de sucre et emploie 8 000 personnes directement.

Le secteur des mines s'enorgueillit du dynamisme des Compagnies Sénégalaises, qui extraient près de 3 millions de tonnes de minerai autour de Taïba et de Thiès. L'exportation des phosphates de chaux et d'alumine constitue une appréciable source de devises. Une partie de la production est d'ailleurs valorisée sur place, dans le complexe chimique des I.C.S. (Industries Chimiques du Sénégal) qui a nécessité de gigantesques investissements. Les phosphatiers, qui évacuent leur minerai vers le port de Dakar, font également vivre la Régie des Chemins de fer Sénégalais.

Autour de Dakar, il faudrait citer les usines de Rufisque : le ciment de la Sococim, les chaussures de Bata ; celles de la banlieue, où l'on tisse des kilomètres de pagne ; une guirlande d'entreprises plus ou moins importantes, de la Société de Raffinage à celles qui se sont installées dans la Zone Franche. Dans Dakar même, la Manufacture des Tabacs de l'Ouest africain voisine avec des brasseries, des minoteries. C'est tout le quartier autour du port qui se donne ainsi des allures de banlieue industrielle.

La recherche minière a mis en évidence d'importantes réserves de phosphates, près de Matam, et de fer, au Sénégal Oriental. Si le Sénégal n'a pas de pétrole, il a toutefois d'immenses tourbières, dans la région des Niayes, dont on tirera bientôt un combustible à bon marché, susceptible de sauver les derniers lambeaux de la forêt sénégalaise jusqu'ici livrée aux charbonniers.

De la cueillette du coton au tissage, en passant par l'égrenage mécanique, le Sénégal maîtrise aujourd'hui toutes les phases de l'industrie textile.

Double page suivante :
Les Niayes, zone de culture maraîchère autour de Dakar, ont vu se créer des techniques horticoles originales. Chaque parcelle est irriguée à partir d'un "séane", puits peu profond où le jardinier peut descendre remplir ses arrosoirs par des marches taillées dans la terre.

ARACHIDE, ETC.

SUR plus de six millions d'habitants, le Sénégal compte 60 % de gens qui vivent des ressources de la nature : paysans, pasteurs, pêcheurs qui exploitent la terre, la mer. L'agriculture, à elle seule, contribue à hauteur d'un tiers à la formation du produit intérieur brut.

La dépendance climatique des productions agricoles est très forte, dans cette zone sahélienne, et le serait de plus en plus dramatiquement, puisque la sécheresse persiste, si l'ère des ''après-barrage'' n'allait pas bientôt commencer. Pour l'heure, la saison productive se mesure à l'aune de la longueur de l'hivernage, 4 à 5 mois au Sud, moins de 3 mois au Nord.

La production nationale est encore dominée par sa majesté l'arachide, qui atteint, les bonnes années, le million de tonnes. Le mil, toutes variétés confondues, tourne autour de 600 000 tonnes (mais ce n'est pas encore assez pour atteindre le seuil de l'auto-suffisance), le riz dépasse un peu les 100 000 tonnes, tandis que le maïs progresse d'année en année et approche les 80 000 tonnes. A côté de l'objectif de l'auto-suffisance vivrière, le gouvernement s'efforce de développer la diversification des cultures pour échapper à la tyrannie de l'arachide. Dans le delta du fleuve, on récolte la canne à sucre. On cultive aussi la tomate, pour le concentré de tomates indispensable dans le plat national. Le maraîchage s'étend hors de sa zone d'implantation traditionnelle, les Niayes, parallèles à la côte Nord : melons, haricots verts et fraises (connus jusqu'en France), pommes de terre et oignons, salades et choux alimentent le marché local.

Au total, le paysage agricole sénégalais reste dominé par le mil et l'arachide, qui se partagent les plus vastes superficies cultivées. Paysage contrasté, rythmé par l'alternance des hautes tiges du mil, qui balancent leur tête barbue à plus de deux mètres de haut et les plants d'arachide qui courent sur le sol pour mieux y loger leurs graines. Mais paysage passager, fragile, où le vert ne règne que quelques mois par an.

Quelle ingéniosité ! Le sens commercial des vendeuses leur a appris à diviser leurs marchandises en lots de faible valeur pour être à la portée de bourses bien modestes. Ce boulanger a construit lui-même, dans un petit village du Ferlo, son four. Les riziculteurs casamançais ont inventé une ''bèche'' — le kayendo — adaptée au travail de préparation des sols lourds.

Vanner, trier, entasser, commercialiser : après la culture, de juillet à octobre, la traite de l'arachide occupe une bonne partie de l'année.

77

C'est bien sa vraie couleur ! Pour les détails sur le lac rose, se reporter au texte...

Des tonnes de soufre et de sel : de quoi développer, comme le fait le Sénégal, une puissante industrie chimique.

LE LAC MIRACULÉ

Le "Lac Rose", comme disent maintenant les dépliants touristiques, s'appelait autrefois lac Retba, et n'aurait pas eu grande chance de passer à la postérité sans l'étrange métamorphose qui l'a frappé. Mais c'est un lac qui a beaucoup mieux réussi que ses petits camarades de la région, Malika, Mbeubeus, Mboro, presque tous asséchés.

Il y a une douzaine d'années, ce lac, de 10 km² environ, était alimenté en eau douce par les dunes environnantes qui, comme des éponges, restituaient progressivement les pluies de l'hivernage. Il était poissonneux, ignoré, accueillant. Le pays était si enchanteur que même des Peuls s'y étaient fixés et y avaient fondé des villages permanents : Niaga Peul, Deni, etc. Vint la catastrophe, sur la nature de laquelle les avis divergent. Les savants affirment que la sécheresse a interrompu l'alimentation en eau douce, réduit à 5 km² la surface du lac, et donc accru considérablement sa salinité, qui est aujourd'hui comparable à celle de la Mer Morte, avec 320 g de sel par litre. Mais les vieux habitants de la contrée évoquent plutôt la vengeance d'un génie-femme jaloux de voir les pêcheurs lui voler les poissons de son lac... Quoi qu'il en soit, les faits sont là : plus de poissons ni de coquillages, et une spectaculaire couleur rose, qui attire aujourd'hui jusqu'à 2 000 touristes par mois. Première aubaine pour les villageois : déjà trois "campements" se sont installés sur les rives. Deuxième chance, de loin la plus importante pour les habitants : l'exploitation du sel. La fée jalouse n'avait pas prévu l'ingéniosité des hommes ! En l'occurrence, ce serait plutôt celle des femmes, qui sont plus d'une centaine à en extraire, chaque jour, une trentaine de tonnes. La technique est simple : la femme se munit d'un bâton, pour casser la croûte de sel déposée au fond du lac ; elle ramasse les blocs, les entasse dans une théorie de cuvettes de plastique qu'elle s'est arrimées à la taille et qui la suivent dans ses déplacements. Une bonne ramasseuse (mais quel courage ne faut-il pas à ces femmes pour travailler tout le jour dans une eau aussi corrosive !) peut rapporter jusqu'à 500 kg sur la rive et gagner ainsi 1 500 Francs cfa par jour. Mais si la fée épuisait un jour le gisement de sel ?

DU BÉTAIL ET DES HOMMES

Entre 2 et 3 millions de chèvres et de moutons. Autant de bœufs et de vaches, plus de 200 000 ânes et chevaux, sans compter le demi-million de porcs (qui ne comptent que pour les populations chrétiennes) ni les quelques milliers de chameaux (qui sont l'affaire exclusive des Maures installés au Sénégal) : voilà une avalanche de chiffres qui permet de se montrer sceptique à l'égard de l'économie, trop abstraite. D'abord, ces chiffres sont des ordres de grandeur approximatifs. Les statistiques sont peu précises, car le propriétaire d'un troupeau, qui paie l'impôt sur chaque tête de bétail, n'a pas la vocation du martyre fiscal : il est si facile de dissimuler bœufs ou moutons dans la brousse ! Ensuite, ces statistiques varient considérablement d'une année à l'autre. La sécheresse occasionne une mortalité effroyable, qui peut atteindre le tiers du cheptel, mais il se reconstitue assez vite. Il y a surtout que toutes ces données, même si on leur ajoute un luxe de détails sur les variétés de races (bœuf, zébu du Nord, race Ndama au Sud, résistante à la mouche tsé-tsé), sur leur productivité (si peu de lait, si peu de viande), sur leur répartition spatiale (les zones de pâturage traditionnelles ont tendance à glisser du Nord vers le Sud plus arrosé — ce qui ne va pas sans heurts entre les transhumants et les paysans qui voient leurs champs piétinés et broutés —) il y a aussi que ces informations ne disent pas l'essentiel, qui est l'attachement sentimental très fort qui lie l'éleveur à son troupeau. L'éleveur, c'est-à-dire : le Peul. Un proverbe dit que ce qui fait le Peul, c'est sa ''Pulagu'' (ensemble des valeurs morales propres à son ethnie)... et son troupeau de vaches. On n'en finirait pas de gloser sur le désastre économique que représente la manière peule de concevoir le troupeau ; un peu signe extérieur de richesse, beaucoup affection profonde ; jamais objet de consommation et de commerce. L'éleveur peul vit du lait de sa vache, mais il ne mange presque jamais de sa viande, sauf aux grandes fêtes. Pousser la vache devant lui est une manière de vivre, pas un mode d'embouche. A l'époque où la sécheresse décimait les troupeaux, où, la mort dans l'âme, le Peul voyait mourir ses bêtes, on a vu des pasteurs pleurer, ou se suicider. La chose est connue. Ce que l'on sait moins, c'est que la vie quotidienne, quand il a bien plu, est toute tissée de menues joies où la vache tient une grande place. Il existe, dans la poésie traditionnelle des Peuls, de nombreux hymnes à la vache, qui prennent souvent l'allure de pages d'amour, de pages lyriques :

> Mes vaches aux fleuves se rivent.
> Elles m'attachent, me détachent.
> Elles m'enferment, elles m'oppressent.
> Elles vont en aval, je vais en aval.
> Nous nous rencontrons, je les appelle !

dit un anonyme du Fouta. Tel autre poème ''Charme pour le troupeau'' est constitué de litanies où le berger reconnaît une à une ses vaches et les désigne par leurs pelages d'une infinie variété :

> Mes vaches myrte sombre sont d'une beauté pure.
> Mes vaches étoile pâle sont d'une beauté pure.
> Mes vaches au pelage moineau sont d'une beauté pure.

Les textes de ce genre sont innombrables. Le berger peul, sa flûte et sa calebasse, ce n'est pas une image de folklore périmé, c'est une réalité vivante.

Les zébus, fierté du berger peul, causent bien des soucis à l'éleveur lorsqu'il s'agit de les abreuver.

Double page suivante :
Le marché bovin de Touba-Toul, au centre du pays. Le grand rendez-vous des éleveurs et des professionnels de la viande.

LA FIÈVRE DES VILLES

L A rue... Il faudrait la finesse du trait, la tendresse et l'humour du regard d'un dessinateur pour en restituer la vie unanime.

En haut de l'échelle, le comptoir, succursale d'une grande compagnie française installée depuis très longtemps dans le pays : Peyrissac, Maurel-et-Prom, Buhan-Teisseire : c'est le grand commerce : magasin à vitrine et prix fixés. La frontière avec la deuxième catégorie se dessine au moment où l'on sent que l'on peut discuter les prix : on entre alors au royaume du petit commerce, qui comporte cependant bien des degrés. Par exemple : le magasin de tissus, invariablement tenu par un Libanais ou un Syrien. Le cadre est modeste, mais c'est la marchandise qui assure la décoration, avec ces flots de mousseline, ces déballages de pagne, ces châtoiements de bazin. Un degré plus bas, au-dessous du petit commerce, survit le ''micro-commerce'', où la surface de vente se mesure en décimètres carrés. Et même dans ce domaine de l'économie ténue, il faut distinguer une hiérarchie : il y a les commerçants qui disposent d'un abri pour leurs marchandises — on n'ose pas dire une boutique : on appelle cela au Sénégal une ''cantine'' (et, de fait, ça n'est parfois guère plus grand qu'une grosse malle en fer). Et puis il y a les commerçants ambulants, dont tout le fonds tient sur un carré de pagne ou sur une table — de là leur nom de ''tabliers'' — ou sur un simple plateau posé sur la tête. Autour de Sandaga, à Colobane (quartiers de Dakar), les cantiniers pullulent. Vendeurs de tissus, de chaussures, de postiches, de ''pos-

Un marché au Sénégal, c'est une symphonie pour la vue, l'ouïe, l'odorat. Pour l'étranger, c'est aussi une source inépuisable d'interrogations sur la nature des produits vendus. Mais on est toujours prêt à lui sourire et à le renseigner.

tes-radio'', de magnétophones, ils arrosent la rue d'une am-
biance sonore appropriée à l'exubérance visuelle. Les tabliers
proposent des cigarettes, des noix de cola. Au bas de la hiérarchie, le vendeur à la sauvette exhibe une poignée de lunettes de
soleil, quelques montres, ou des chaussettes, ou des verres à
thé... Son fonds tient dans ses poches.

Tout ce petit monde grouille, s'agite, discute, va, interpelle le
client, encombre le passage : bref, forme la vie elle-même, avec
ses embarras et son sel.

Le commerce n'est pas seulement hiérarchisé ; il est aussi, sur
le plan sociologique, très segmenté, tant y joue le phénomène
de la spécialisation ethnique. On sait, au Sénégal, que le lait, frais
ou caillé, c'est l'affaire des Toucouleurs ; que les femmes Lébou
dominent largement dans la profession des vendeuses de poisson, que la pâte d'arachide, c'est le rayon des Bambaras et des
Malinkés, tandis que les vendeurs de bananes sont presque tous
Guinéens. Le phénomène résiste à l'explication rationnelle : allez
donc comprendre pourquoi, si les vendeurs de ''dibi'' (la viande
grillée à emporter, traitée dans les ''dibiteries'') sont exclusivement Maures (comme les porteurs d'eau), les vendeurs de
brochettes sont, en revanche, Peuls de Guinée ?

Le mystère s'épaissit encore lorsqu'on sait aussi que certains
commerces ont élu domicile dans des endroits bien précis : à la
spécialisation ethnique se superpose donc une spécialisation
géographique étonnante. Il y a des rues à tissus et à tailleurs, des
zones où l'on trouvera la vaisselle émaillée — qu'il serait vain de
vouloir chercher ailleurs. On trouve à Dakar des avenues-quincail-
leries, des boulevards-librairies d'occasion (dites ''librairies-par-
terre'', c'est plus joli), des arcades qui abritent une escouade de
cordonniers. La rue Mohamed V, au Plateau, était, il n'y a guère,
le fief des Marocains : cuivres et djellabahs, bonnets (les ''fez'')
et chaussures (les ''marrakis''). Les magasins disparaissent à la
mort de leurs propriétaires : ils sont alors remplacés exclusivement par des ''antiquaires'', ou des ''puces''. Tout se passe
comme si fonctionnait, dans la sociologie du monde commerçant, une sorte de loi du mimétisme généralisé. C'est charmant :
mais faire ses courses à Dakar demande parfois de solides
connaissances géographiques.

*Que de grâce, que de poses alan-
guies pour déguster une mangue !*

*Dans le pays profond, on sait encore
se passer de produits importés : cet
homme tresse une corde avec des
fibres végétales cueillies en brousse.*

*Double page suivante :
Dans les cuvettes, du mil pour tous
les goûts. Au-dessus des cuvettes,
des boubous pour toutes les couleurs : la magie des marchés est
celle de la profusion.*

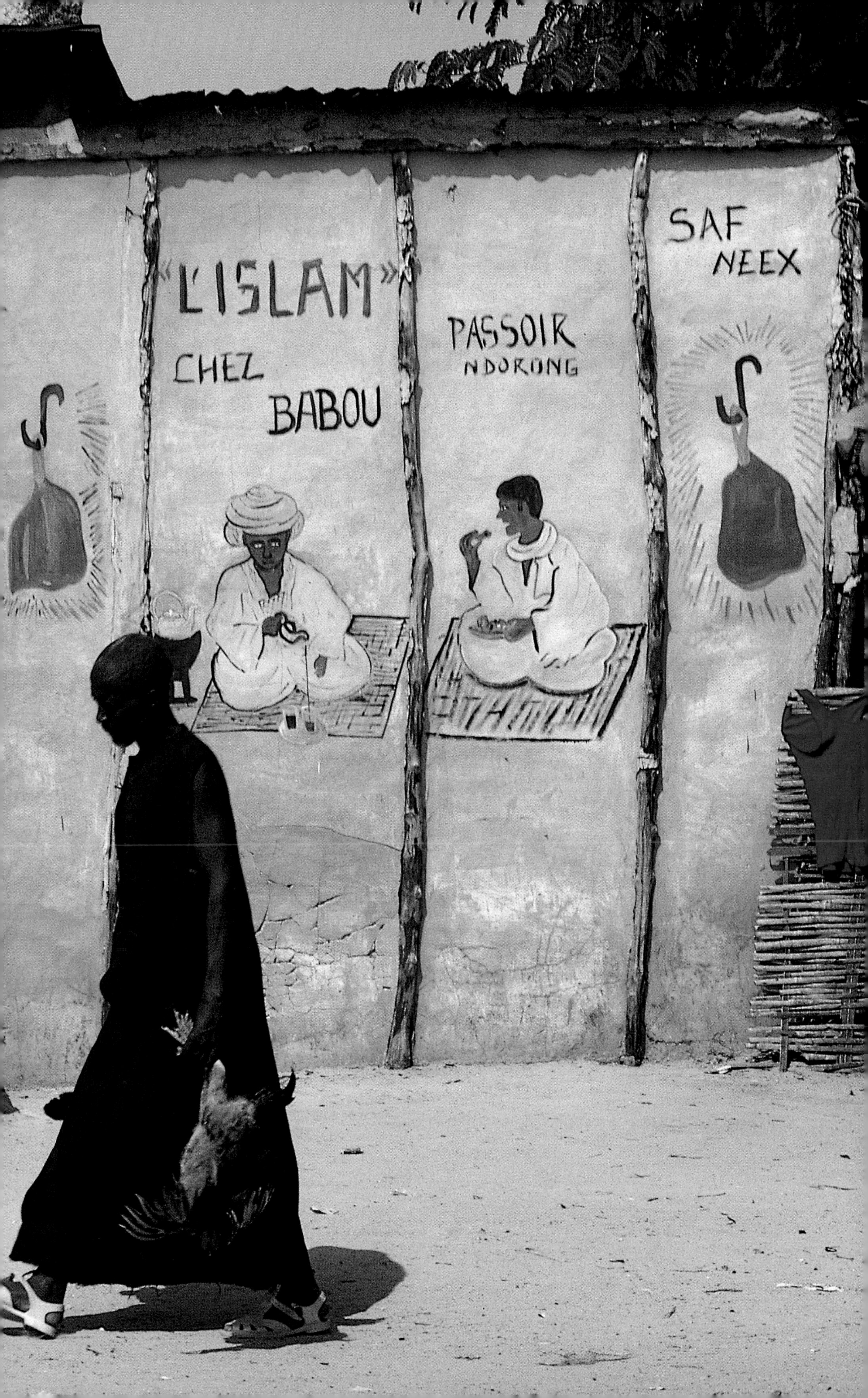

"L'ISLAM"
CHEZ
BABOU
PASSOIR
NDORONG
SAF
NEEX

LE PARADIS GAGNÉ...

L'OPINION publique sénégalaise l'affirme : elle est le ''cœur vert'' du pays. Les dépliants touristiques le sussurrent : elle est le lieu idéal des vacances exotiques. Une visite le confirme : en apparence, la Casamance est bien un petit paradis.

Grande comme la Belgique, avec ses 28 000 km², la Casamance offre, d'Est en Ouest, sur une bande étroite séparée du reste du Sénégal par l'aberration gambienne, une multiplicité de visages. Mais c'est la région de Ziguinchor, le pays des Diolas, qui présente les aspects les plus fortement singularisés, les plus aptes à engendrer cette image d'Eden, qu'il faudra bien examiner de plus près.

Tout se conjugue pour faire de ce coin de terre un quartier de paradis tombé du ciel. Aux touristes, la plage, les cocotiers, l'Afrique des livres d'enfance. Aux paysans, une pluviométrie favorable. A l'observateur, le sentiment qu'il peut embrasser facilement les aspects de ce minuscule terroir, où les distances, d'un ''village pittoresque'' à un site ''vaut-le-détour'' ne sont jamais décourageantes. Au promeneur, l'impression de tranquillité, d'équilibre. Le voyage en pirogue (indispensable souvent, tant la Casamance est traversée de méandres, de bras morts, en quoi s'égare et se subdivise à l'infini le fleuve) permet de parcourir les bolongs, à peine animés par la large houle des marées, par le déchirement soyeux des vols d'oiseaux aquatiques. La déambulation dans les chemins d'un village — à condition de respecter les règles de la plus élémentaire politesse — procure les mêmes sentiments : rien de fébrile dans les gestes immémoriaux de ces femmes qui filent le coton, dans la démarche solide et tranquille du campagnard qui n'est jamais inoccupé. En somme, un monde calme, où les gens sont si paisibles et souriants qu'on pourrait en conclure que la vie, ici, est donnée.

C'est vrai que la Casamance n'est pas dépourvue de chances climatiques. Avec plus d'un mètre de pluie par an, les arbres n'ont guère de mérite à pousser. Le soleil tropical fait le reste : la flore, même sauvage, est un vaste jardin, un supermarché où chaque matin, le diola va faire ses provisions : bois de construction, de chauffe ; fruits ; gibier... Un paradis !

Double page précédente :
Une ''dibiterie'' est une sorte de rôtisserie. Mais pour être commerçant, on n'en est pas moins un fidèle mouride. D'où la représentation, à droite de la porte, du fondateur de la confrérie, cheikh Amadou Bamba, devant qui se prosterne un ''baye fall''.

La royauté de l'enfant, sur quoi repose-t-elle, sinon sur ces grands yeux pleins de nuit et d'étoiles ?

Eh bien non. Si paradis il y a, c'est un éden gagné par la sueur et l'ingéniosité des hommes. C'est un paradis préservé à chaque instant de tout ce qui menace de le détruire. C'est un paradis qui témoigne davantage de la peine des hommes que de la générosité de la providence. Le voyageur pressé doit savoir en effet combien de menaces pèsent sur la Casamance : la sécheresse, qui fait sentir ses effets jusque sur le grand Sud ; les salinisations des terres, insuffisamment lessivées par les pluies devenues moins abondantes : des rizières entières sont retournées à l'état de poto-poto ; la pression démographique, avec l'arrivée de paysans et de pasteurs chassés du nord du Sénégal par la désertification. Le gouvernement est obligé de prendre des mesures de sauvegarde de la faune et de la flore, pas toujours bien acceptées des paysans diolas, qui admettent difficilement de devoir payer, par exemple, une taxe pour abattre en forêt le rônier pour les solives de leur toit !

Contre toutes ces menaces, dont certaines sont très anciennes, comme la salinisation des rizières, le paysan de Casamance déploie une extraordinaire ingéniosité technologique. Précisons d'abord que dans la société diola, il n'y a pas de castes, pas de spécialisation professionnelle. Donc, chaque fermier doit savoir tout faire par lui-même, de la construction de sa case à la vannerie, en passant par le travail du bois, des peaux ou du coton.

Pour la culture du riz, base de l'alimentation et même de la façon de vivre des Diolas, le paysan met en jeu des techniques bien rôdées. "Enrano", le riz, se gagne à la sueur du front des hommes, sur la mangrove salée. Il faut arracher les palétuviers (mais le bois ne sera pas gaspillé : il sert au chauffage et les troncs refendus garnissent les plafonds des pièces de la case, comme une frisette exotique : l'odeur du bois éloigne les moustiques). Bâtir autour du carré de la future rizière des murettes de boue séchée, hautes parfois d'un mètre, tout en ménageant des vannes. L'instrument-roi, à ce stade, est le lourd "Kayendo", en forme d'aviron ou de pelle de boulanger. Les pluies de plusieurs années, remplissant la cuvette ainsi formée, dissolvant le sel du poto-poto, finissent par lessiver le sol par draînages successifs. Cette technique, très élaborée, existait déjà lorsque les Portugais arrivèrent en Casamance, au XVe siècle. Quand la rizière est prête (elle est toutefois labourée chaque année, en mars, par les hommes), les femmes repiquent le riz grandi dans les pépinières, et c'est elles encore qui gagneront de leur sueur la récolte en cueillant, brin à brin, les tiges d'or blond pour les mettre à l'abri dans le grenier de la case, dont elles sont les seules gardiennes. Comment ne pas comprendre qu'une plante qui demande autant d'efforts ait pu façonner la société diola et beaucoup de ses traditions culturelles ? La récolte de riz, fruit du labeur de toute une famille, ne se vend pas : vend-on son âme ? Le diola n'achète pas son riz : il le produit lui-même. S'il y est contraint — cela s'est vu dans les années de grande sécheresse — c'est avec la honte de celui qui trahit un pacte immémorial.

Double page précédente :
Entre ses rizières et les méandres du fleuve Casamance qui l'éloignent et le protègent, Eloubaline, un des villages diolas les plus obstinément fidèles à la tradition.

Case diola en construction : tous les matériaux sont empruntés à la terre ou à la forêt.

Il arrive parfois que l'impluvium serve en effet à laisser couler la pluie... Mais les cuvettes visent plutôt à éviter l'inondation de la case.

Ce paradis gagné sur la nature, c'est aussi celui des villages. Si le fermier ardèchois hérite de ses ancêtres une bâtisse de pierres faite pour défier les siècles, le paysan de Basse-Casamance hérite d'une matière première, l'argile, et d'un savoir-faire. Une case se refait plusieurs fois dans une vie d'homme ; les fortes pluies, en effet, endommagent les toits et rongent les murs de terre. L'effort patient des bâtisseurs se conjugue avec un sens architectural à la fois très sûr et très varié. D'un village à l'autre, les formes changent. D'Eloubaline à Mlomp, il n'y a guère plus de — ne comptons pas en kilomètres, les distances ici ne valent que par l'effort du marcheur ou du piroguier — quelques heures. Et pourtant, on passe de l'extraordinaire case dite ''à l'impluvium'' (où l'impluvium d'ailleurs ne sert pas à recueillir l'eau de pluie, puisqu'il n'y a aucune citerne pour cela, mais à distribuer la lumière dans l'immense case faite pour une famille polygame) aux cases à étages et, qui plus est, en forme de fer à cheval, abritant sous un toit unique plusieurs corps de bâtiments contigus.

Quand on aura vu les théories de femmes portant au marché de Zinguinchor des fardeaux invraisemblables pendant une journée ou deux de marche — comme les potières d'Effok ou de Youtou — ; les associations d'enfants peiner dans les rizières pour se constituer un pécule ; les récolteurs de vin de palme soigner leurs palmiers comme un Bourguignon soigne sa vigne ; quand on aura mesuré tout cela, il ne faudra plus parler de vie facile dans ces régions du Sud. Le Diola mérite les faveurs de la nature tropicale, il n'en vit pas en parasite.

C'est sans doute parce qu'il compte avant tout sur lui-même que le paysan diola est si farouchement individualiste. L'autonomie est, ici, élevée au rang de vertu, de pratique sociale et même de philosophie politique. L'occupant colonial, qui a souvent dû conquérir un à un les moindres hameaux de brousse (le traité signé par un village ne valant pas pour le village voisin) y a usé sa patience et sa force. L'impôt arraché une année devait être encore exigé l'année d'après. Et la valeur du guerrier diola

Scènes quotidiennes, devant la case ou au pied des gigantesques fromagers, de la tendresse que se vouent les enfants. Les ''grandes'' sœurs tressent les cheveux des plus petites...

n'est pas une légende, et la terre diola, avec ses fourrés, ses marigots, sa mangrove, est propice aux embuscades et à la guérilla.

Le gouvernement du Sénégal indépendant a été affronté aussi à des manifestations violentes. Il a fallu beaucoup de sagesse de part et d'autre pour que le sang versé n'enclenche pas le cycle absurde de la violence terroriste et répressive. Il faut souhaiter que tous les esprits s'apaisent et que rien d'irrémédiable ne vienne briser un équilibre fragile.

La Casamance est certes une terre singulière, avec ses micro-ethnies, son morcellement, son animisme militant, qui ne se laisse grignoter que très lentement par l'Islam et le Christianisme. Dans nombre de ses villages, les ''rois'' continuent d'entretenir le culte animiste et visitent les ''bekin'', forces surnaturelles, dans les bois sacrés. Ces rois d'un étrange royaume n'ont aucun pouvoir temporel. Frappés d'interdits, craints, ils sont tenus à l'écart et voient de plus en plus leur pouvoir spirituel remis en question... Mais il n'est guère de Casamançais, bon musulman ou bon chrétien, qui ne soit resté fidèle, au fond de lui-même, à la religion ancestrale. Les grandes fêtes, les obsèques solennelles, sont l'occasion d'entretenir les rites, de ressouder la communauté autour de ses anciens dieux.

Les pagnes traditionnels, en Casamance comme ailleurs au Sénégal, sont obtenus à partir du coton filé et tissé au pays même...
Il y a toujours un moment, pour une bonne ménagère, où gagner quelques mètres de fil.

Page ci-contre :
Le riz ne se récolte pas mécaniquement. On le cueille brin à brin, avec l'amour et le respect qu'il faut porter à l'aliment sacré.

100

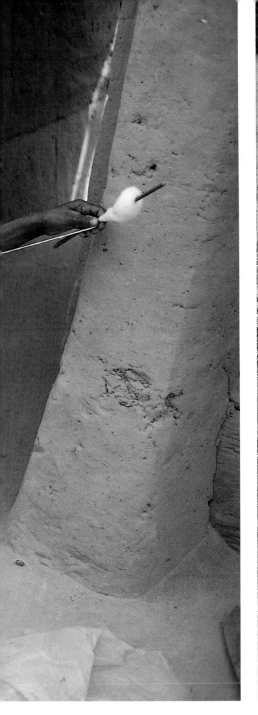

Les masques, le Kumpo, le Kankurang, hantent l'imagination diola. Dans ces provinces du Sud, les "racines culturelles" ne sont pas l'objet de savantes recherches, elles n'induisent pas de comportements mimétiques touchants, mais souvent dérisoires. Elles sont vécues, sans phrase et sans emphase, tout simplement.

Faut-il, au vu de tous ces particularismes, faire de la Casamance un pays à part dans l'ensemble sénégalais ? Répondre suppose qu'on tienne compte de quelques autres vérités, dont celles-ci : le particularisme diola apparaît d'autant plus fort au touriste qu'il ne connaît du Sénégal que Dakar et le Club Méditerranée du Cap Skirring... D'autres provinces ont leur âme propre. Et c'est même la richesse du Sénégal que de bâtir l'unité nationale à partir de ces diversités locales. Comme le Fouta, le Sine ou le pays Bassari, la Casamance est cette province sans qui le Sénégal perdrait de son originalité, de ses richesses matérielles et morales. Les aléas de l'histoire, où une région soupçonne la capitale de l'oublier un peu et qui se rappelle brutalement à la conscience de tous, ne doivent pas occulter l'essentiel : la Casamance est le complément indispensable du Sénégal, comme la nation est le contrepoids nécessaire aux dérives irrédentistes.

ENCIEN LUTTEUR SÉNÉGALAIS
EN 37.38 KK

LA LUTTE

A MA connaissance, aucun organisateur de voyages touristiques n'a encore inscrit dans le programme de ses circuits une séance de lutte sénégalaise. C'est pourtant, avec le foot-ball, un des phénomènes sociaux qui font accourir les foules colorées. Et, mieux que le foot-ball, activité d'importation, la lutte révèle l'âme sénégalaise.

La lutte n'est pas qu'un sport. Ce serait en méconnaître la portée que de n'y voir qu'un affrontement d'athlètes aux corps huilés. Bien sûr, il y faut de la force et de la souplesse. Les meilleurs lutteurs sénégalais, comme le légendaire Double Less, ont participé aux Jeux Olympiques, en lutte gréco-romaine. Mais la lutte, au Sénégal, est un rite bien plus complexe qui met en jeu la poésie, la danse, la musique, la religion même.

Le lutteur, entouré de ses suivants, fait son entrée dans l'arène ; autour de lui, les griots se déchaînent. L'athlète épouse le rythme endiablé des tam-tams, et fait tournoyer

M'BENGUE

102

l'épaisse corolle de pagnes qui composent son costume. Puis le lutteur, toujours accompagné et soutenu par la musique des griots, entame la récitation des poèmes, les "baks", qui proclament sa gloire. Et chaque camp de supporters hurle sa joie, sa fierté : le lutteur est son héros, son "champion", il incarne les valeurs du terroir : diola, sérère, du Fleuve ou du Walo. Pendant tous ces préparatifs, les jeteurs de sort s'affairent : cornes pointées vers l'adversaire, liquides mystérieux versés sur la tête du futur combattant, gestes imprécatoires et maraboutages divers.

Le combat lui-même, après d'interminables rounds d'observation où les lutteurs esquivent, feintent, miment, n'est l'affaire que de quelques secondes. Une brève empoignade, un quintal de muscles projeté au sol : c'est fini. Mais, vraiment, l'essentiel n'était pas là !

Double page suivante :
Gros plan sur deux aspects indissociables de la lutte : les gris-gris et les beaux muscles.

103

L'INITIATION

Au sein d'une société restée fidèle à ses valeurs ancestrales, l'initiation est le temps fort d'une éducation qui a pour objectif de transmettre un savoir traditionnel. Les enfants à qui les Anciens révèlent un ensemble de connaissances, de pratiques, deviennent, au sortir de leur "stage intensif", des adultes dont l'avis sera pris en considération.

Voilà pour la définition d'ethnologue. Elle s'appliquerait parfaitement au cas du Sénégal, mais n'en épuiserait pas tous les aspects. Les rites d'initiation tendaient en effet à disparaître, même dans les régions les plus conservatrices : comment — c'est l'une des causes — voulez-vous retenir un adolescent scolarisé plusieurs mois dans une retraite d'un bois sacré ? Or, ces derniers temps, une fièvre organisatrice s'est emparée des gens du Sénégal Oriental ou de Casamance ; à Bakel ou à Mlomp, on a vu d'immenses rassemblements de Sénégalais de toutes les couches de la société, de tous les métiers, venus fêter ce retour aux sources, recevoir la consécration rituelle qui vaut tous les diplômes du monde.

Les formes de l'initiation varient d'une région à l'autre. On n'en finirait pas d'évoquer les combats (qui ne sont pas truqués !) des jeunes initiés Bassaris contre les porteurs de masques ; les chants qui célèbrent les "sorties" des bois de ceux qui naissent à la vraie vie sociale ; la fierté des mères et des sœurs qui vont jouer un rôle essentiel dans l'organisation de la fête gigantesque sous les grands fromagers de Casamance.

Mais les traits essentiels sont toujours identiques : entre ceux qui sont passés par les mêmes épreuves de l'initiation (car il s'agit aussi d'endurcir ces enfants), et qui sont maintenant détenteurs des mêmes secrets (religion traditionnelle, pharmacopée — pour autant qu'on puisse s'en faire une idée), l'initiation tisse des liens définitifs de solidarité et d'amitié. La "fraternité de case", comme disent les Wolofs est le plus puissant des ciments sociaux.

Double page précédente :
Ces initiés qui vont pénétrer dans le bois sacré de Mlomp portent d'étranges vêtements d'herbes qui symbolisent leur communion avec la nature, leur effort pour retrouver les contacts primordiaux.

L'entrée dans le bois sacré des initiés ne se conçoit pas sans un formidable accompagnement de cris, de bruits, de poussière et de chants.

Danseur balante. D'une autre ethnie que les Diolas, les Balantes se sont bien intégrés à la société casamançaise.

Double page suivante :
L'escorte des initiés (Balinghor, Casamance). Ces hommes affirment leur vaillance en brandissant un armement hétéroclite : du fusil de traite à la dent de poisson-scie.

L'HIVERNAGE

IL y a, en gros, deux saisons au Sénégal. La saison sèche, de novembre à mai (ou juin) ; la saison des pluies, pendant les mois de l'été européen, a été baptisée "hivernage" par les militaires de la conquête coloniale qui arrêtaient leurs opérations au moment des pluies comme les légions romaines cessaient la guerre au temps de l'hiver.

On a fait, à tort, une réputation épouvantable à l'hivernage, mélange diabolique de tornades fracassantes, de chaleur poisseuse, de pistes coupées et d'invasion d'insectes. Tout cela est fort exagéré. Du point de vue (très partiel) du touriste, le "goudron", la climatisation et les insecticides permettent d'apprécier le plus beau moment de l'année, où le Sénégal, enfin, conjugue toute la variété des verts, où le monde rural s'anime et célèbre, à la mesure de son labeur, ses plus grandes fêtes. Du point de vue du paysan, surtout — et même chez les citadins dont les racines rurales sont bien vivantes —, la pluie est une bénédiction, un miracle annuel.

Rien de plus tragique que ces interminables semaines où l'on attend la première tornade, où les nuages se refusent à crever, où chaque pluie perdue est une menace pour la récolte. C'est alors qu'on ne supporte pas la chaleur qui n'a pas son salaire, les moustiques qui ne sont pas le signe qu'il a bien plu. Des pistes impraticables ? Dieu merci. Tout le téléphone de Dakar en panne (car les fils enterrés craignent l'humidité) ? On n'ose pas dire tant mieux, mais ce genre de désagrément est accepté de tous le cœur allègre. La première grosse pluie, la pluie "utile" comme la baptisent les paysans déclenche la joie. Digne et retenue chez les hommes de la terre, comme il sied à des gens sages et rassis, qui ont tant à faire dès la première ondée. Exubérante et éclatante chez les enfants, qui se roulent sous les cascades tombées des toits, ou s'offrent de gigantesques baignades.

Au bout de plus d'une décennie de sécheresse, l'attente de la pluie est encore plus angoissante, quand juin, puis juillet s'étirent sans une goutte d'eau. Sur certain mur de la capitale, une main anonyme avait écrit, en lettres d'un mètre de haut, "Na taaw ci suufu Senegal...", "Qu'il pleuve sur la terre du Sénégal..." exprimant ainsi la prière fervente de tout un peuple. Toute la communauté croyante — autant vous dire tous les Sénégalais — se presse dans les mosquées, dans les églises, pour demander à Dieu que l'hivernage soit clément. On assiste même, depuis quelques années, à la curieuse résurrection d'un rite animiste chez les Lébous de Dakar : le "Bawnane", ou rite propitiatoire consistant en offrandes aux génies de l'eau. La chose se pratique le long de la côte, de la plage de l'université à celle de Soumbedioune, à grand renfort de tam-tam.

La nature a tout prévu : la pluie pour fertiliser les sols... et les feuilles de rônier pour s'abriter de la pluie.

112

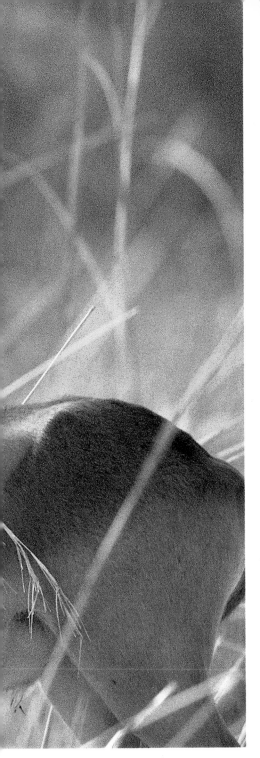

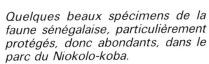
Quelques beaux spécimens de la faune sénégalaise, particulièrement protégés, donc abondants, dans le parc du Niokolo-koba.

LE NIOKOLO-KOBA

L E parc national de Niokolo-Koba, d'abord simple réserve de chasse du temps de la colonie, a progressivement pris de l'ampleur et de l'ambition. Aujourd'hui, il compte 900 000 hectares (soit l'équivalent d'un très gros département français) sur lesquels les animaux sont rois et les touristes en liberté surveillée. On ne campe pas n'importe où (il y a un excellent hôtel et des campements organisés) ; on ne descend pas de voiture n'importe où (sécurité oblige). Moyennant un minimum de discipline, on peut profiter pleinement des richesses du parc, avec ou sans guide. Mais il vaut mieux un guide : outre que l'on a affaire ainsi à des pisteurs professionnels qui connaissent les habitudes des animaux, leurs parcours, leurs heures, le grand avantage est que par leur conversation, on est à même de déchiffrer l'envers de la carte postale.

La carte postale est magnifique. Paysages variés des savanes soudaniennes, des forêts galeries, des prairies d'herbes à éléphants, des cours d'eau encaissés ; faune abondante et photogénique : buffles, lions, gazelles, antilopes, singes innombrables, hippopotames, crocodiles, panthères et éléphants sont bel et bien présents. Il faut parfois un peu de chance ou de patience pour rencontrer pachyderme et grands fauves ; mais l'Afrique est une école de patience... et le spectacle permanent des antilopes broutant dans les mares de la naissance du monde, à côté des phacochères ou d'un hippopotame solitaire remplit à lui seul ce désir enfantin qui gît en chacun de nous. Le parc vaut le voyage...

Le verso de la carte n'est pas moins passionnant. Il faut écouter parler les guides de "leur parc", de ce qu'il représente pour eux. Pendant des heures, Sama le Bassari — qui accompagne maintenant les "safaris" organisés depuis l'hôtel de Simenti — m'a raconté son enfance dans les villages déguerpis par l'installation du parc (on voit encore les manguiers plantés par l'homme, où les bandes de singes viennent s'approvisionner en fruits). Ce territoire fut le sien autrefois, celui des chasses à l'arc.

Le parc a tué un mode de vie traditionnel ; de même, partout au Sénégal, la réglementation de la chasse a fait disparaître les derniers vestiges des sociétés secrètes des chasseurs, avec leurs croyances, leurs légendes et leurs chants sacrés.

L'honnêteté oblige à dire que le Niokolo-Koba a, en revanche, contribué à sauver bien plus qu'il n'a détruit. Du temps des Sama, l'équilibre écologique n'était pas mis en péril par un prélèvement léger et intelligent. La sécheresse, l'augmentation de la pression démographique ont rendu nécessaire la protection des derniers reliquats de la grande faune.

Aujourd'hui, le développement du braconnage à grande échelle est de nature à lever les scrupules des défenseurs inconditionnels des Bassaris. Ce n'est plus la viande qui intéresse ; c'est le trophée, l'ivoire, la peau. Le braconnier tue l'éléphant pour ses défenses — qui lui rapporteront quelques dizaines de milliers de francs cfa et se transformeront en bracelets et statuettes dans les boutiques de Soumbedioune. Qu'on médite ces chiffres : 150 éléphants en 1975 ; 45 aujourd'hui ; une femelle n'a qu'un éléphanteau tous les dix ans...

L'AFRIQUE DES SANCTUAIRES

QUELQUE part au fond de chaque cerveau, dans son jardin secret de l'imaginaire, gît une certaine image de l'Afrique éternelle, celle d'une faune intacte et de populations préservées des pollutions du progrès.

A s'en tenir aux apparences, la région du Sénégal Oriental offre bien un tel aspect. Le parc du Niokolo-Koba, les populations "tenda" sont autant de facettes d'une Afrique des premiers âges, partout ailleurs largement transformée.

Par delà la spécificité de chaque ethnie (ici, les Bédiks du Sénégal-Oriental), il y a une universalité des gestes et des labeurs féminins, dont témoigne l'iconographie populaire.

Le Sénégal-Oriental a une vocation naturelle à être la région des sanctuaires. Cet immense territoire (près du tiers, à lui seul, de la superficie du pays) est quasi-vide ; il ne compte que 5 % de la population totale. Il est de surcroît enclavé, à peine relié au Sud et au Centre par des routes goudronnées qui ne desservent que Tambacounda.

Tout au Sud, bloqués entre la frontière guinéenne et les limites du Parc National du Niokolo-Koba, les Bassaris s'accrochent désespérément à leurs traditions. Ils ne sont que quelques milliers au total, en comptant ceux qui vivent de l'autre côté de la frontière, et même en y ajoutant leurs cousins (proches par les mœurs et autres traits ethniques) les Coniaguis de Guinée. Au Sénégal, une poignée de villages en abrite moins de 4 000 : une poussière comparée aux Wolofs, aux Peuls, aux Mandingues. Mais une poussière pour laquelle les ethnologues — et même les non-initiés — peuvent avoir une tendresse toute spéciale, une de ces tendresses qu'on entretient toujours pour les David face aux Goliath. Ce petit peuple "paléonigritique", on ne sait pas d'où il vient. Les Bassaris sont des paysans, hommes du mil et du maïs, mais qui complètent leur production par une utilisation judicieuse de leur terroir. Ils pratiquent en effet la cueillette (miel sauvage, feuilles de fromager, fruit de la forêt) et — quand cela est encore possible — la chasse (à l'arc, il n'y a encore pas si longtemps). Mais la grande affaire des Bassaris, ce sont les fêtes, pour lesquelles ils ont conservé rites, costumes, ferveur. L'Islam a bien un peu mordu sur eux. Mais le fond animiste résiste vaillamment à Etiolo, à Ebarak, dans les villages où l'on célèbre périodiquement les grandes festivités de l'initiation. Autrefois, avant la création du Parc, on fêtait aussi la chasse, dont le Bassari ne fait pas seulement une question de nécessité alimentaire. Comme tout vrai chasseur, il y met son point d'honneur. Ainsi, le Bassari qui a réussi à tuer un animal "noble", éléphant ou buffle, puis lion, puis panthère, puis hippopotame (par ordre décroissant de dignité) mérite-t-il le titre de "Kamara" et le droit d'entrer dans une société secrète. Sur le piquant de porc-épic qu'il porte en travers du nez, il fait figurer, en marques rouges, le nombre de bêtes nobles qu'il a tuées.

Lors des fêtes d'initiation, de circoncision et d'excision, qui marquent l'arrivée des adolescents, garçons et filles, à l'âge adulte, une activité fébrile envahit les montagnettes. Il faut fabriquer d'immenses quantités de bière de mil, il faut veiller à la parure — qui n'est pourtant pas négligée d'ordinaire. Les costumes traditionnels vont ressortir : l'étui pénien, les triangle en peau d'antilope, les cagoules de masque et les tuniques en écorce battue.

Double page suivante :
Le masque "Lokouta" ne sert que lors de l'initiation des jeunes Bassaris.

Les femmes vont rivaliser d'élégance, à grand renfort de perles, de médailles passées dans le nez, de bandeaux de perles fines, de bracelets de poignets et de chevilles en cuivre ou en aluminium. Même les bébés qui participeront à la fête portés dans le dos de leur mère (comme partout en Afrique Noire) auront droit au porte-bébé en peau d'antilope ou de chèvre, décorés d'aiguillettes et de perles.

Le rayonnement de l'exemple bassari dans la société sénégalaise est sans commune mesure avec la faiblesse numérique de la collectivité. On connaît ce petit peuple des collines, on l'admire d'avoir su conserver, contre les assauts du progrès, ses rites et ses mythes.

Lors des danses, les Bassaris, restés fidèles à leurs traditions, arborent d'étranges costumes métalliques. La jeune mère, à droite, exhibe un magnifique "porte-bébé".

Une des phases les plus impressionnantes de l'initiation : la lutte violente du masque lokouta et de l'adolescent qui doit prouver sa vaillance pour entrer dans la société des hommes.

LEÇONS D'ÉNERGIE

VAGABONDER ainsi d'une province à l'autre, quêtant ici le pittoresque, là le folklore, toujours attentif à l'âme secrète du terroir, à sa mystique, aux survivances d'un passé reculé, n'est pas sans risques. Celui de donner une image partielle — et donc partiale — du Sénégal et de ses habitants.

Oui, il y a au Sénégal des danseurs masqués, des hommes qui vivent et pensent comme les pères de leurs pères. Le monde rural reste très proche de ses racines ancestrales, vit en symbiose et sympathie avec la brousse originelle.

Mais le Sénégal, ce n'est pas que cela. C'est aussi un monde dont la vitalité — n'en déplaise aux amateurs de cartes postales enluminées — est en définitive la vraie garantie du maintien et du progrès de la nation.

Le cas du tourisme est particulièrement révélateur. Au-delà de la plage ensoleillée, des circuits organisés, des hôtels si accueillants, il faut lire l'effort d'équipement qui a doté le Sénégal d'un parc d'hébergement sans reproche. Plusieurs milliers de chambres permettent de séjourner à peu près partout dans le pays : le bungalow climatisé n'est pas à dédaigner, au bout de la route ou de la piste. Pour les amateurs de la découverte plus authentique, c'est-à-dire mieux à même de favoriser les rencontres entre le villageois et l'hôte de passage, le Sénégal a inventé une forme originale d'hôtellerie populaire. La formule a été mise au point en Casamance, où la communauté des habitants bâtit, entretient et gère complètement un ''campement'', dont les revenus retournent directement au village.

Avec l'arachide, les phosphates et la pêche, le tourisme est l'une des importantes sources de devises du Sénégal. Comme d'autres secteurs, il témoigne de cette remarquable énergie que déploient les ''fils du lion'' pour affronter les défis d'aujourd'hui.

L'humour populaire — si vif au Sénégal — à baptisé "ventilateur" cette danse où l'exécutante imprime un mouvement giratoire rapide à la partie arrondie de sa personne. Quand ça tourne très vite, c'est "climatiseur" !

Le poète Senghor disait : "nous sommes les hommes de la danse..." Ajoutons que la grâce et l'agilité des femmes est parfois diabolique !

Double page suivante :
Ne jamais oublier ceci : le Sénégal est une palette de couleurs. Mais le peintre, c'est le soleil en personne !

Ainsi, après des années de travaux, voici que le barrage de Diama, qui empêche la remontée de la langue salée dans le Sénégal, est achevé. Celui de Manantali, au Mali, également fruit de la coopération de ce pays avec le Sénégal et la Mauritanie, sort de terre à bonne allure. D'ici peu, le Sénégal sera navigable sur 900 kilomètres, 300 000 hectares de terre seront sauvés du désert, et des millions de kilowatts-heure feront tourner les mines de fer de la Falémé.

Promesses encore : les barrages sur la Gambie, les barrages anti-sel en Casamance, et surtout le Canal du Cayor. L'aménagement hydraulique est devenu la grande priorité de ce pays dont les gouvernants ont compris que la sécheresse n'est pas une malédiction inéluctable. L'eau existe, il suffit de savoir la prendre. Ainsi, le projet du Cayor vise-t-il à creuser, tout au long de la grande côte, du lac de Guiers jusqu'à la région de Thiès, une amenée d'eau provenant du fleuve et de ses déversoirs naturels. Le canal traversera la zone des Niayes qui ne demande qu'à reverdir.

Promesses, dira-t-on ? Mais quand un peuple tout entier rêve aussi fort et aussi longtemps — et prend les moyens de faire en sorte que le rêve se réalise, alors les projets deviennent vrais, s'habillent de leurs peaux de béton et d'acier. En attendant l'heure de la réalisation concrète, ces projets jouent un autre rôle non négligeable. Ils sont des mythes mobilisateurs, des rêves collectifs en quoi toute la collectivité se reconnaît. Plus que des projets économiques, ils sont des projets de société dont l'acceptation unanime est une forte garantie pour l'unité de la nation. Le grand dessein de la Sénégambie, où il est prévu, à terme, une union entre le Sénégal et la Gambie — entre qui existent déjà des embryons d'institutions confédérales — doit se lire dans ce contexte.

J.-C. Blachère

Un peu de malice, un brin de tendresse,
une immense gentillesse dans ce
regard : ''Au revoir, Sénégal !''

AU-DELA DES IMAGES

Comment présenter le Sénégalais d'aujourd'hui ? Par où commencer ? Par quel bout du boubou l'attraper ? Quoi évoquer ? Qui invoquer ?... Pas facile en tout cas à enfermer dans une formule, encore moins dans un plan de Blanc, concis, précis,... "blanc" quoi ! Un fil conducteur ? Pour sûr j'en ai trouvé un... et même deux, trois, quatre, une véritable trame qui enchaîne ma chaîne pour tisser un tapis aux mille et une couleurs. Je remercie au passage le sage Hampathé Ba à qui mon subconscient au désespoir aura probablement emprunté cette belle image. C'est bien cela : un entrelacs... rebelle, tout à fait, au droit fil et à l'analyse. Va donc pour le tapis mais... à la sénégalaise "Ndank, ndank... moy japp golo ci ñay" (1). Pour sûr, je vous promets d'aller doucement... mais si je l'attrape, moi — le Sénégalais bien sûr — c'est que j'aurais eu un peu de chance et beaucoup de mérites car Dieu m'est témoin que j'ai longtemps couru... Bu soobe Yalla !

(1) **Traduction** : C'est en faisant doucement, doucement qu'on attrape le singe dans le champ.

I

AU PAYS DU "JOM" ET DE LA "TERANGA"

C'était en 1960, le 2 août très exactement : debout sur l'avant-pont des Secondes du "Jean-Mermoz" depuis le petit matin, je reçus en plein cœur cette petite île ocre-rose frileuse et précieuse sous les tendres rayons du soleil levant, si fragile et irréelle — me semblait-il — et si lourde soudain quand quelqu'un à côté de moi murmura "Gorée !". Impossible d'en détacher mon regard comme si j'avais déjà deviné son poids dans ma vie. Du coup j'en ai quasiment raté l'entrée — noble et pétaradante — dans le port de Dakar. La moiteur s'était abattue sur mes épaules — et le découragement aussi, la panique : qu'étais-je venue chercher tout "au bout de moi-même", tout au bout du voyage ? Je n'eus pas, heureusement, le temps des égarements et des regrets : au-dessus de moi, un gaillard de deux mètres, souriant, avait empoigné d'office mon maigre bagage et mon cœur, me frayant un passage dans cette foule noire, excitée, qui s'agitait en hurlant, nous touchait, nous pressait, s'interposait entre mon ange gardien et moi et me fascinait autant qu'elle me terrorisait... Le port de Dakar — peu de chances, je ne dis pas de risques, que vous arriviez par là aujourd'hui — c'était déjà tout le Sénégal : la gentillesse et la roublardise, les douaniers avec qui il faut discuter — il faut toujours discuter : mais comment ? — des femmes somptueuses parées au petit matin de brocarts et de dentelles, des couleurs éclatantes, des odeurs renversantes, une bousculade, un enchevêtrement des corps et des cris inimaginables... Ça, le Sénégal ? J'étais sous le charme, étourdie, abasourdie... J'y suis toujours, mais aujourd'hui je sais pourquoi et croyez-moi, ça ne relève pas de la magie !

Ou peut-être si, après tout : magie du verbe d'abord et qui ne serait sous le charme ? Nos amis ici sont des princes.

Au Sénégal sachez-le, on ne vous contredira jamais ; si l'on est bien élevé, vous aurez toujours raison. On ignore le "non" grossier, assimilé à une insulte : dès qu'on vous connaît c'est "oui, bien sûr" toujours. Venir dîner chez toi samedi soir, d'accord, avec ma femme, parfaitement... Il sera bien temps après, le lendemain, d'expliquer qu'on a eu un empêchement... Quand on n'est pas venu avec "ses" femmes : la légitime, sa sœur ou sa nièce ou son "petit ami" (un bon conseil : recevez sans protocole, à la sénégalaise, autour du plat commun — en français on parle de "buffet" — et vous éviterez le casse-tête des couverts à enlever ou à ajouter à la dernière minute).

Hypocrisie ? Allons donc, seulement pour ceux qui sont dépourvus de sagesse. Car notre Sénégalais est d'abord un fin diplomate qui se soucie par-dessus tout de ne pas "faire de vagues" de respecter l'harmonie — l'équilibre — du monde qu'il apprécie plus que tout : goût du dialogue, de la "palabre" comme on dit ici. Cela signifie essentiellement être ensemble, s'éprouver, se mesurer, s'apprécier, par-dessus tout se respecter : ne jamais faire quoi que ce soit qui puisse blesser l'autre. Merveilleuse sagesse africaine ! Je crois bien que pendant que nos grands-pères s'occupaient de dompter le soleil et la mer, le grand-père de mon "ami" apprivoisait les mots et les hommes. Et le plus merveilleux cadeau que j'ai emporté du Sénégal c'est cette chaleur humaine, cette délicieuse "attention" à l'autre, de chaque être, de chaque instant qui fait le poids et le prix d'une amitié. Oui, ce n'est pas un vain mot : au Sénégal "l'homme est bien le remède de l'homme" (1). Ce souci, le respect de l'autre sont la base de cette **téranga** (2) sénégalaise chantée dans tous les guides et sous tous les cieux — de cette longue patience aussi, qui nous impatiente si souvent et qui n'est pas le moindre sujet d'étonnement pour un étranger. C'est que le Sénégalais est avant tout tolérant dans tous les domaines, et ce depuis la tradition la plus lointaine.

---

(1) "Nit nitey garabam" : proverbe wolof.
(2) Vient de **teral** qui veut dire honorer quelqu'un, lui exprimer de la déférence, du respect.

La politique du dialogue est ici une pratique quotidienne ; qu'on soit musulman ou animiste, chrétien ou athée — c'est rare ! —, on cultive le verbe et le jom, le ngor, le teey, le fit et le fayda (1).

Jom, c'est l'honneur... et c'est aussi le titre d'un film de Ababacar Samb, un des cinéastes de la génération des pionniers qui prônait avant tout le monde le "sursaut national" et le "ressourcement" comme on dit aujourd'hui. Un homme autrefois se définissait d'abord par le jom puis par la générosité, les largesses, qui supposaient l'hospitalité, cette fameuse téranga qui est avant tout sénégalaise.

Et aujourd'hui, est-on tenté de demander ? Que sont devenues ces valeurs traditionnelles face au building, à l'électronique et à la vidéo ? Pas facile d'être généreux dans un deux-pièces HLM et d'y accueillir la tante de sa femme, la sœur du beau-frère, la grand-mère de l'oncle du cousin... sans compter les nombreux petits neveux venus étudier à Dakar... Bousculé, écartelé, le Sénégalais des "Soleils des Indépendances" (2) a d'abord été tenté de tirer un trait sur ces choses du passé. Modernisme rimait avec individualisme et égoïsme et allait de pair avec l'oubli du temps des Samba Lingeer (3) et de leurs conduites fastueuses. C'était les années 60... Le temps des perruques et des reniements où les jeunes filles pensaient qu'être moderne signifiait provoquer et se promenaient serrées dans des "jeans" collants ou des "jupes-tube", cigarette aux lèvres et défi dans les yeux. Vingt ans après, les choses ont beaucoup changé : pour notre plus grand bonheur, perruques et jeans ont cédé la place aux coiffures à tresses d'autrefois et au boubou traditionnel.

Retour aux sources, ré-enracinement, "ressourcement" c'est le dernier mot à la mode : il ne se passe pas un jour sans qu'ils ne s'étalent en gros caractères dans **Le Soleil** quotidien ou les autres journaux et revues. Après avoir digéré avec une aisance stupéfiante l'électronique, les supersoniques et autres innovations du siècle, après avoir revendiqué la modernisation de façon parfois agressive, le Sénégalais, dépassant les contradictions, se retourne sur son passé et y cherche des forces nouvelles, un langage nouveau, pour affronter les terribles problèmes de cette difficile fin de siècle.

25 avril : Journée du Parrain : un moment de ressourcement : "l'objectif visé par le Ministère de l'Education Nationale en attribuant à chaque établissement scolaire le nom d'un digne fils du pays était de revivifier nos valeurs culturelles et morales, de parer, dans ce monde en effervescence, à l'oubli de nos vertus et de nos qualités propres", "la journée du parrain devrait fonctionner chez les jeunes générations coupées des valeurs traditionnelles de nos cultures comme un ressourcement". Et c'est l'occasion d'égrener une fois de plus le chapelet : l'honneur, le courage, le dévouement, le sacrifice, la créativité, l'intelligence de l'esprit et du cœur. On a fait vibrer la corde sensible entre toutes et la musique se répercute indéfiniment à tous les échos. Réhabiliter les valeurs : c'est bien ; encore s'agirait-il de ne pas s'y accrocher comme à des porte-drapeaux mais plutôt de les ré-organiser en fonction des données nouvelles, de les re-penser dans le contexte moderne et de les rendre aptes à affronter le futur.

DES ETHNIES ET DES HOMMES

Si les aberrantes frontières qui séparent deux nations (Sénégal-Gambie, par exemple) de même ethnie, de même langue, de même religion sont le lourd héritage de l'époque coloniale, les "particularismes" ethniques — pour employer le jargon sociologique — comme les castes, sont un héritage de la tradition la plus authentique en même temps qu'un signe de sa pérennité.

Mais d'abord il convient de préciser qu'il n'y a jamais eu au Sénégal ce qu'on a appelé ailleurs "guerre tribale" et qui a défrayé les chroniques de la presse de nombreux pays. Tout au plus notre quotidien national **Le Soleil** s'enhardit-il à parler de "particularisme casamançais" non pas seulement pour dénoncer les implications politiques qui ont donné lieu en décembre 83 à de sanglants événements

---

(1) **Jom** : sens de l'honneur. **Le teey** : sérénité, patience (contraire de la précipitation. **Le fit** : le courage, l'audace (quelqu'un qui n'a jamais peur). **Le fayda** : qualité de celui qui en impose aux autres (la "classe" ?).
(2) "Les Soleils des Indépendances" d'Ahmadou Kourouma, Guinéen, est un roman paru en 1970 éd. Seuil.
(3) Fils de reine.

baptisés "émeutes de Ziguinchor" mais aussi pour attirer l'attention de tous et de chacun sur cette vérité qui, si **les Diolas** ne sont pas les wolof, leurs valeurs, pour être moins dominatrices et moins prosélytes, n'en ont cependant pas moins de droits à s'affirmer et à être respectées. Cette différence culturelle, les Diolas en sont très fiers qui revendiquent farouchement leurs bois sacrés non pas contre, mais à côté des mosquées. Animistes d'abord et diolas avant d'être Sénégalais, exilés tout au sud dans une région coupée du reste du pays par un autre pays étranger, la Gambie — a-t-on réfléchi aux implications psychologiques de ce curieux phénomène quand on se plaint ici que les Casamançais sont des gens "à part" ? — Ils sont environ 300 000 à continuer de vivre sous la loi de la seule coutume qui dit le droit, la culture, la religion des ancêtres. Qui dit aussi à l'instar de l'Islam, que tous les hommes sont égaux — seuls à oser affirmer cela dans une société hiérarchisée qui perpétue le système des castes. On comprend alors que ce ne soit pas un petit quart de siècle d'indépendance nationale — et donc de dépendance casamançaise — qui ait pu sérieusement modifier les données du problème. Il est vrai pourtant que les coups de boutoir de l'Islam mandingue tendent de plus en plus à effriter cette unité profonde et exemplaire : dans nombre de villages, à l'exception de la région d'Oussouye qui résiste farouchement, se dressent aujourd'hui une ou plusieurs mosquées, un peu à l'écart du bois sacré, point trop sacrilèges... pour le moment. Longtemps protégée par les nombreux bacs qui rendaient difficile — et combien lent — son accès, la Casamance d'aujourd'hui "désenclavée" (comme on se plaît à le souligner dans la sphère gouvernementale) par ses ponts flambant neuf, a ouvert toutes grandes ses portes sur le monde : ce n'est pas sans risques, comme aussi sans avantages.

Le Gouvernement sénégalais a décidé début 86 de "pardonner" aux "séparatistes casamançais" qui avaient mis en péril l'intégrité de la nation lors des "émeutes de Ziguinchor" de 83 : volonté très nette d'apaisement des esprits — signe plus éloquent encore de la prise en compte des diversités culturelles — diola d'abord, qui, bien comprises, seront, précisément la force et la richesse du Sénégal de demain.

Le particularisme casamançais pour être à la fois exemplaire et tout à fait d'actualité dans ces années 80... n'est pourtant pas un phénomène isolé. Pourquoi ne pas parler aussi de particularisme **peul** ? Ce n'est pas parce que leur statut (ancien) de pasteurs nomades fait qu'on les rencontre aussi bien au Nord qu'au Sud et à l'Est qu'à l'Ouest que ce contingent fort de 800 000 âmes environ a dispersé ses coutumes aux quatre points cardinaux : même s'ils se sont parfois fixés (sédentarisés) ils continuent tout comme les Wolof et les Toucouleur à respecter scrupuleusement la hiérarchie des castes, à adorer leurs bœufs et à alimenter des conflits avec les paysans qui n'apprécient pas particulièrement de voir leurs champs piétinés par les troupeaux. Les femmes peul au teint clair et aux traits fins sont réputées parmi les plus belles femmes d'Afrique, les plus coquettes aussi. Leur langue, le pulaar, est également parlée par les **Toucouleur** (ensemble on les appelle les **Hal-pulaaren**) proches parents des Peul puisqu'on les dit issus d'un métissage entre Peul et Sérère, là-bas, "sur les rives du grand fleuve", comprenez le fleuve Sénégal. Le "particularisme toucouleur" qui n'a pas encore fait la une des journaux serait sans doute un attachement immodéré — d'autres disent "rétrograde" — à la coutume et à l'esprit de caste et un zèle jugé parfois intempestif pour répandre la Parole — fût-ce par le fer et le sang : aussi bien sont-ils les descendants à la fois des prestigieux conquérants Almoravides, premiers messagers de l'Islam, et du grand, redoutable et redouté, El Hadj Omar Tall. Curieusement c'est chez eux qu'on trouve le plus d'"expatriés" : à la ville d'abord pour échapper eux aussi à l'enclavement, au sable, au manque d'eau, de riz, de tout... Mais surtout en France où les "Waala-Fenndo" sont de loins l'ethnie sénégalaise la plus nombreuse (quelque 70 000 personnes), celle aussi qui présente la particularité de vivre à Paris comme dans le village du Fouta natal, dans le strict respect des règles et de la hiérarchie traditionnelles.

Sur le fleuve, **Toucouleur** et **Soninké** (ou **Sarakollé**) font bon ménage, ces derniers occupant principalement les régions situées au Sud de Waoundé et Bakel, le Ferlo Boundou, où leur architecture de terre rappelle le Mali d'où ils viennent : depuis les journées culturelles de Bakel on parle beaucoup du Renouveau soninké et il n'est pas inintéressant de constater que le ressourcement a jailli du fin fond du pays. Diolas, Peuls et Toucouleurs encerclent — au sens propre — le cœur du Sénégal, ce Baol, ce Tékrour, ce Waalo qui sont le berceau de toujours des **Sérer** et des **Wolof** : les Sérer, pourtant guère plus d'une centaine de mille, sont réputés les meilleurs hommes de la terre. Ils sont attachés à leurs pangols, les esprits ancestraux et entretiennent avec beaucoup de ferveur leur panthéon animiste. Voisins immédiats des Wolof qui auraient pu les écraser de leur nombre et de leur puissance ils ont d'autant plus de raisons et de cœur pour s'accrocher à leur identité.

Les **Wolof** sont de loins les plus nombreux : si un homme sur quatre est Chinois, un sénégalais sur quatre au moins est Wolof (1 sur 5 Dakarois). Ils occupent les villes, Dakar en premier lieu où ils sont fonctionnaires (les 5/6ᵉ des fonctionnaires sénégalais sont Wolof), mais aussi médecins, avocats, commerçants, hommes d'affaires. Quand ils ne sont pas citadins ils cultivent l'arachide, de plus en plus loin au Nord, à l'Est et même au Sud de Dakar ; entreprenants et sûrs de leur force — 80 % des Sénégalais parlent le wolof même s'ils ne représentent que 40 % de la population — ils sont presque tous mourides et qui dit mouride aujourd'hui dit la première puissance économique du Sénégal. Ils ont progressivement évincé de la presqu'île du Cap-Vert ses anciens propriétaires les **Lébou** et cela d'autant plus facilement grâce à l'impérialisme de leur langue. Aujourd'hui les lébous — 50 000 âmes — essentiellement pêcheurs, se rencontrent à Yoff, à proximité de la mer (et des fleuves).

Si l'on voulait être, exhaustif non pas, mais tant soit peu scientifique, il faudrait mentionner les **Bassari, Bedik** et **Coniagui** qui peuplent la région du Sénégal Oriental — un des hauts lieux touristiques à cause du Parc de Niokolo-Koba dont le seul nom évoque pour nous les grandes fêtes d'initiation des premiers jours de Mai. Ces groupes les moins importants numériquement avec aussi les **Soninké** et les **Serer,** sont probablement ceux qui protègent le plus farouchement leurs cultures : faut-il s'en étonner ?

NOBLE, FORGERON OU ESCLAVE ?

— ''Comment un inconnu ose-t-il prétendre à la main de ma sœur ? Quelle est sa descendance ? Est-il noble, forgeron ou esclave ?''

Cette réplique figure au tout début (p. 12) de la Nouvelle d'Aminata Maiga Ka ''La voie du salut'' parue à Présence africaine en... novembre 85. Noble, forgeron ou esclave... Tout est là dès qu'il s'agit de mariage. Voilà résumée, étiquetée, classée la société sénégalaise d'hier et d'aujourd'hui, accrochée à des hiérarchies qu'on voudrait croire abolies, à des barrières qui ont pourtant résisté aux assauts conjugués de la raison, du cœur et du temps.

Hiérarchie : maître-mot ici qui ordonnait la position sociale des êtres dès leur naissance et régissait leurs rapports pour toujours, qu'il s'agisse des castes, plus anciennes ou des ordres de l'époque monarchique. Du côté des castes, la stratification sociale distinguait les **géér** ou gens de caste supérieure qui pouvaient exercer tous les métiers sauf l'artisanat et les **ñeeño** ou gens de caste inférieure, comprenant les artisans, les griots-musiciens et les courtisans.

Les castes... le mot seul a une résonance insolente, qui dérange ; il sent les ''intouchables'' et autres ''abominations''. On en parle à mi-voix, le regard détourné, gêné. Plus on connaît, plus on se tait... Je suis passée par là ; des années j'ai regardé, écouté : telle de mes amies, de la race des Seigneurs, était courtisée par ''un camarade d'études brillant, charmant, promis au plus bel avenir''... tout, quoi ! ''Oui, mais... tu n'y penses pas ! c'est un...'' Un mot, un nom, et le miroir se voilait, les regards gênés se dérobaient : le royaume du non-dit, du non avoué.

Les Diolas mis à part — décidément, ce particularisme diola a bien des racines ! — les Sénégalais, qu'ils soient croyants ou non-croyants, musulmans ou chrétiens, intellectuels ou analphabètes, respectent tous dans le secret de leur cœur — et en dépit de quelques fanfaronnades qui ne trompent personne — cette règle de fer qui a nom **caste.**

Le fer : parlons-en justement. Au commencement — un commencement qui se perd dans la nuit des temps — seul était considéré comme noble le travail de la terre. Les Seigneurs, les **géér** Wolof ou **Toorobe** toucouleur, pratiquaient l'agriculture, l'élevage, la pêche, abandonnant aux **ñeeño** (gens de caste inférieure) tous les artisanats considérés comme impurs et qui leur étaient interdits. Le premier **ñeeño,** raconte-t-on, était un forgeron ; le forgeron est encore aujourd'hui de tous les artisans, le plus méprisé et le plus redouté à la fois, en raison des matières dangereuses — fer et feu — qu'il manipule et qui font que sa sueur porte malheur — dit-on — à qui le touche. Le forgeron c'est aussi le bijoutier et c'est encore l'homme du couteau, le circonciseur redoutable et redouté des initiés. Mais le forgeron — pour en avoir la primeur — n'a pas l'exclusivité de ce traitement ; les **Géér** — traduisez : les Seigneurs, de race pure, forcément généreux et dotés du sens de l'honneur, confondent dans un collectif et silencieux mépris tous ceux qui font des métiers de services : cordonniers, tisserands, griots, courtisans, toutes gens forcément inférieures, impures, étrangères, intéressées... J.-J. Maquet pense qu'''une théorie raciste semble la seule idéologie compatible avec une structure à castes''. Racisme ? c'est l'Apartheid en effet, dès qu'il s'agit de mariage ! Les **géér** avec les **géér**, les **ñeeño** avec les **ñeeño**. Le plus étonnant pour un regard étranger étant l'acceptation tacite — et comme allant de soi — de chacun et de tous. Le principe est net comme un couperet : on n'épouse que son (sa) semblable, son **nawle**. Une autre raison pourrait d'ailleurs expliquer la stricte obéissance à cette règle de fer : les enfants qui naîtraient d'un mariage entre **géér** et **ñeeño** seraient obligatoirement **ñeeño**, les chomosomes de ces derniers curieusement semblant l'emporter ici... Il est vrai qu'il y a là de quoi refroidir la flamme de plus d'un géér pour une jolie bijoutière... Dans la vie de tous les jours, la discrétion — l'hypocrisie ? — semble la règle : on n'en parle pas. On se côtoie, on travaille ensemble, on fait — apparemment — comme si ça n'existait pas. On peut même avoir pour meilleur ami un **ñeeño**, quand on est un **géér**... mais quant à épouser sa sœur, c'est une autre affaire ! Tel **géér** de mes amis que je considère comme l'un des intellectuels les plus brillants de sa génération m'a avoué un jour : ''Que veux-tu ? Pour moi la bijoutière, c'est métaphysique !'' il entendait par là qu'il ne pourrait jamais ''tomber amoureux'' d'une bijoutière... Tant est lourd le poids du conditionnement, de l'éducation, de la culture.

Il est pourtant écrit dans le Coran (Sourate XLIX)
''O vous, les hommes !
Nous vous avons créés d'un mâle et d'une femelle
Nous vous avons constitués en peuples et en tribus
pour que vous vous connaissiez entre vous.
Le plus **noble** d'entre vous, auprès de Dieu,
est le plus **pieux** d'entre vous...''

On se demande alors pourquoi l'Islam — religion de près de 90 % des Sénégalais — semble s'être si bien accommodé d'une pratique qui est en contradiction avec sa loi... On dit que Cheikh Amadou Bamba, le puissant fondateur de la puissante confrérie mouride, voulut marier une de ses filles à un cordonnier — son fidèle disciple — mais qu'il dut y renoncer devant l'opposition farouche de toute sa famille liguée contre lui... On dit aussi qu'Al Aaji Maalik Sy eut la même velléité. Il semble évident que l'Islam n'a rien pu contre l'endogamie des castes parce qu'il n'a rien voulu faire vraiment : peut-être en effet ce système servait-il les propres intérêts des marabouts — essentiellement des **géér**, en particulier en les aidant à imposer l'hérédité de leur fonction ? Ils ont en tout cas préféré fermer les yeux, se contentant de déclarer contraire à l'orthodoxie la croyance au ''forgeron-porte malheur'' ou au ''griot semeur de disette'' qu'on était obligé hier encore d'enterrer dans les baobabs pour qu'il ne souille pas la terre.

Plus efficace — encore que silencieux — est le rôle joué par la modernisation. Les artisans sont chaque jour moins nombreux aujourd'hui que l'industrie se développe — et obligés souvent de se reconvertir dans l'économie moderne, royaume d'un formidable brassage et laminage. On dit qu'il n'y a plus de tisserands wolof — ni à la ville ni à la campagne —. Ils sont devenus tailleurs, commerçants ou chefs d'atelier dans une usine. Cette dernière n'existant pas dans la société traditionnelle, n'est pas concernée par les interdits et tel **géér** qui pour rien au monde n'aurait été forgeron, y travaille sans problème le fer (menuiserie métallique), le cuir ou autre... Il acceptera également de travailler sous les ordres de ''son inférieur'' : aucune importance ! La fonction est passagère et n'a rien à voir avec le statut auquel elle est toujours subordonnée. N'empêche : chacun se connaît, connaît l'autre et sait exactement où est sa place et à quel moment il doit y revenir et s'y tenir. Fanfaronnades à la télévision et titres ronflants sur les cartes de visite ne trompent personne : seul compte le nom, la naissance, véritable ''carte d'identité morale'' qui anéantit tout.

Mais au Sénégal on possède plus que tout autre l'art de ne pas se mettre dans une position difficile : on sait comment éviter les conflits, comment ne pas gêner, ne pas blesser, si bien qu'à tout prendre il n'y a pas tellement de drames en effet... puisque personne n'ose. L'intelligence suprême n'est-elle pas de contourner l'obstacle ? **Yaya Wane,** sociologue, raconte à ce propos que pour contourner l'endogamie de caste, les intellectuels et hauts-fonctionnaires toucouleur ont choisi d'épouser essentiellement... des étrangères, européennes ou américaines et des africaines catholiques mais non sénégalaises : ignorantes ou indifférentes par rapport aux castes, elles sont tout naturellement au-dessus de l'interdit. Il fallait y penser !

TERRE DE FOI ET DE TOLÉRANCE

Vendredi quatorze heures... L'heure de la canicule... J'avance lentement au milieu de dizaines de boubous empesés, à petits coups de klaxon discrets, timides. Les silhouettes colorées, pressées, accrochées à leur natte roulée sous le bras finissent par s'écarter, comme à regret. Tout à coup, à l'angle de la rue Carnot et de la rue Blanchot, c'est le barrage : corps et nattes courbent leur prière à même le sol et une marée moutonnante de dos têtus bloque toutes les rues, de bâbord à tribord, se faufilant entre les voitures à perte de vue. Mieux vaut se garer tout de suite où on peut... si on le peut. Et autant le savoir : le vendredi à l'heure de Tissbar — la troisième des cinq prières quotidiennes du musulman — il est inutile d'avoir besoin de circuler dans la ville. La rue est interdite de voitures à cette heure, tout entière envahie par les fidèles accourus de partout, grands et petits, hommes bien sûr, bazins bleus contre bazins blancs, roses, jaunes, confondus dans un fantastique ballet orchestré par les alizés et l'appel des Muezzins.

Combien de fidèles à cette prière du vendredi ? Dans les rues, dans les mille six cents mosquées du centre-ville, dans la somptueuse Grande Mosquée ? Ils se comptent par millions en tout cas ceux qui, dans les quarante cinq mille mosquées du Sénégal — à la même seconde, communient dans la même ferveur religieuse, dans la même joie manifeste d'être là ensemble, à prier au coude à coude, fiers de cette masse imposante qui se bouscule et prend toute la place — la place de la rue profane, la place du commerce impie. Et c'est vrai que le Sénégalais aujourd'hui plus qu'hier, éprouve fierté et plaisir à s'afficher en tant que musulman, à prier, plus qu'hier, à la mosquée avec tous les fidèles, plutôt que seul chez lui.

Cette ferveur peut-être pas nouvelle mais renouvelée, est à l'origine de bien des inquiétudes aujourd'hui. On sait que le Sénégal compte de 80 à 90 % de musulmans, pacifiques et tolérants dans leur grande majorité, du moins jusqu'à ces dernières années... Le début de cette décennie marque un nouveau tournant dans l'histoire de l'Islam au Sénégal. Ici et là il n'est plus question que de ''renaissance'' ou de ''renouveau'' islamique, d'une nouvelle ''revue islamique'', de la création d'un ''centre d'études islamiques'' tel le CERID ou Cercle d'Etudes et de Recherches ''Islam et Développement'' — on dénonce ''la montée des périls'' comprenez l'arrivée des Ayatollahs... ceux du Sénégal bien sûr. Et voici que se met doucement à germer dans la tête épique de quelques exaltés — ou frustrés ? — le rêve d'une république islamique sénégalaise, sœur de sa voisine toute proche, la Mauritanie et petite sœur aussi de la Lybie lointaine qui fascine... Quels sont les risques — d'autres diraient les chances — de voir un jour le Sénégal sous la loi de la Charia ? Peut-on prendre au sérieux ceux qui caressent ce rêve ?

Aujourd'hui il est vrai, pour beaucoup, être Sénégalais c'est d'abord être musulman : l'Islam semble vécu à la fois comme refus et comme refuge.

Refus de l'Occident coupable de tous les maux qui ont noms aliénation, déracinement, démocratie (''dembacratie'') (1), athéisme, débauche, relâchement des mœurs, franc-maçonnerie assimilée ici au diable, et... sécheresse pourquoi pas ? Refuge contre le désarroi et l'amertume où se trouve plongé le Sénégalais de cette décennie qui, comme le Fama des **Soleils des Indépendances,** ''né dans l'or, le manger, l'honneur et les femmes'' se voit réduit à se nourrir aujourd'hui d'expédients et d'angoisse des lendemains dans un monde emballé comme un cheval fou.

La crise que l'on dit mondiale n'a pas épargné, on s'en doute le petit pays en voie de développement qu'est notre Sénégal : il en est probablement plus accablé que d'autres mieux équipés pour y faire face. Sur le plan économique le pays, dit-on,

---

(1) **Dembacratie** *mot formé à partir du prénom Demba qui veut dire l'homme de la rue, l'homme quelconque : Dupont-Durand.*

serait au bord de la faillite — au sens propre du terme. Dakar connaît un chômage record tandis que la campagne frappée par la sécheresse et l'échec de toutes les ''politiques et nouvelles politiques'' agricoles ne nourrit plus son homme. Sur le plan social, les Sénégalais se fatiguent des inégalités et des injustices criantes qu'ils ont tous les jours sous les yeux ; l'école — dont on nous rebat les oreilles — ne concerne qu'un enfant sur trois — au départ — et encore... pour en faire à l'arrivée des chômeurs dont le seul débouché sera d'aller grossir les rangs des ''maîtrisards'' (titulaires d'une maîtrise) et des aigris. Sur le plan politique le multipartisme — spécialité et gloire du Sénégal à juste titre car il est le signe de la profonde tolérance dont ce pays a toujours su faire preuve aussi loin qu'on remonte dans le temps et de son respect des libertés — se révèle décevant : quinze partis d'opposition s'opposent... entre eux et au Parti socialiste dirigeant, au lieu tous ensemble de se ceindre les reins.

Comment s'étonner alors que l'Islam apparaisse comme ''la solution des problè-mes de l'hommme'' le recours des désespérés, le remède unique contre cette sécheresse même, envoyée par Dieu pour punir les hommes de leurs péchés, entendez la mécréance. Après tout, il apparaît aujourd'hui aux yeux du peuple, comme le plus puissant facteur d'unité et de fierté nationale, le seul lieu sans doute où il n'y ait ni premier ni dernier — où l'idéal, comme hier dans la tradition — soit de se fondre harmonieusement dans le groupe, ni au-dessus, ni au-dessous, exactement l'égal des autres : à la mosquée, le géér et le ñeeño, le ministre et le paysan, l'homme et l'enfant, ne s'agenouillent-ils pas pareillement ? Beaucoup de raisons expliquent ''l'engouement'' qu'on a ici pour l'Islam, et pour ses marabouts qui jouissent d'un prestige égal à celui des héros d'hier.

On est frappé en effet par la toute puissance et l'omniprésence du marabout qui est à la fois le maître, le guide, le devin, le guérisseur, le borom-kër, le chef de village... Quelque chose comme Dieu le père incarné en somme... Dans ce pays où l'on meurt pour un homme plutôt que pour une cause, qui pourrait encore s'étonner de les voir figurer dans le chapelet des gloires nationales aux côtés de Lat Dior, Al Hadj Omar ou Ndiadiane Ndiaye ? Ne possèdent-ils pas, à l'égal de tous les héros cités dans nos écoles ''am, xam-xam ak kattan'' l'avoir, le savoir et le pouvoir ?

On peut donc mieux comprendre que ce renouveau islamique, hier encore discret, se déploie aujourd'hui de plus en plus dans le bruit et l'exaltation — comme si ses adeptes cherchaient à savoir jusqu'où ils peuvent aller trop loin... Réponse ferme, énergique et sans équivoque semble leur avoir été donnée par le Président Abdou Diouf dans son discours de vœux à la nation le 1er janvier 85 qui s'est dit ''déterminé à combattre tout sectarisme nuisant au progrès économique et social, à l'entente, à la fraternité et à la paix entre les Sénégalais''. Voilà qui devrait mettre un point final à bien des ''cris et chuchotements''.

* *

*

L'Islam est si présent au Sénégal qu'on en oublierait qu'il s'y pratique d'autres religions, essentiellement le catholicisme et l'animisme.

Les chrétiens sont environ 250 000 (à peine 4 à 5 %) habitant essentiellement sur la petite côte — ce sont surtout des **Sérères** — à Joal et Fadiouth et en Casamance où Dieu fait souvent bon ménage avec les Boekin, ou fétiches diolas. Ils vivent leur foi dans la sérénité et l'entente avec les communautés musulmanes. Aussi bien ces dernières profitent-elles des fêtes catholiques nombreuses qui ponctuent le calen-drier sénégalais : Noël d'abord qui est la fête de tous et de chacun, mais également Pâques et la Trinité, le 15 août et la Toussaint, l'Ascension et la Pentecôte.

Le lundi de Pentecôte est aussi le lundi de Popenguine. Popenguine est une jolie bourgade de la petite Côte qui revendique deux spécialités : celle d'abriter les week-ends présidentiels (mais aussi ceux de nombreux Toubabs et autres amateurs de soleil et de vent) et celle d'être un lieu célèbre de pélerinage annuel et qui draine des foules nombreuses, catholiques et ardentes.

Popenguine : un symbole ! Le premier Cardinal Sénégalais, Mgr Thiandoum, en est originaire et son frère aîné en était l'imam. Et quand l'Association des Imams du Sénégal se réunit, savez-vous qui en est l'invité d'honneur ? Notre Cardinal... Au dernier pélerinage de juin 86 qui a vu trois mille jeunes gens et jeunes filles participer à une enthousiaste ''marche pour la paix'' depuis Dakar, Kaolak ou

Rufisque, plusieurs marabouts étaient présents lors de la célébration de la grand-messe en plein-air. Quel meilleur signe de tolérance et d'entente entre les communautés religieuses pourrait-il exister ?

DES FEMMES

Parler de la femme sénégalaise c'est évoquer d'abord la beauté rayonnante, les couleurs rutilantes, la démarche nonchalante dans le cliquetis des lourds bracelets d'or et des parures d'ambre, le froissement des lamés et des bazins et par-dessus tout ce parfum entêtant qui flotte dans son sillage et qui rappelle l'Eglise ou les veillées des soirées fraîches : le "thouraï" ou encens. Sûre d'elle, de son effet, de son charme, on la dirait de toute éternité faite pour la parade et les cérémonies, les futilités et le plaisir. Est-ce à cause de cela que l'Islam la relègue à la seconde place ? Le Verset 34 de la Sourate IV dit :
"Les hommes ont autorité sur les femmes
   En vertu de la préférence
   que Dieu leur a accordée sur elles
   A cause des dépenses qu'ils font
   pour assurer leur entretien."
Certes, coûteux sont les lamés rares, les broderies fines, les bijoux d'or et les pierreries... Mais ne sont-ils pas le juste prix de la longue peine quotidienne de la femme ? Le prix du "boot" (1) de son enfant même marchant déjà, lourd à ses reins, et dont elle ne se sépare jamais — ni nuit ni jour — pas plus pour faire la lessive ou la cuisine que pour aller au marché ou en visite, pas même pour danser le sabar des clairs de lune, lui ouvrant le monde dans ce même geste qui le protège aussi et qui lui donne les arbres, les fleurs, la vie... à l'heure où d'autres ne connaissent que la solitude du berceau ; n'est-ce pas le prix de son lait que, généreuse, elle lui dispense jusqu'à deux ans passés ? Le prix de ses attentions de chaque instant, de ses veilles, de ses angoisses ; le prix de ses maternités répétées ; le prix de sa tendresse enfin "plus douce que le lait" ? Admirable mère qu'ont chantée les poètes et les musiciens. Mère aimante qui, me prêtant un instant son beau bébé s'indigne, incrédule, d'apprendre que le mien est resté là-bas, dans son berceau, au lieu d'être attaché sur mon dos et de voyager avec moi. Mère au cœur généreux qui est la mère également des enfants de ses co-épouses, des enfants de ses frères et sœurs, des enfants de ses amies... admirable éducation collective qui hier prenait en charge tous les enfants de la communauté — aujourd'hui un peu estompée hélas dans les tracas et les nombreux problèmes qui assaillent quotidiennement les gens des villes.

Jusqu'à ce que le garçon ait sept ans, beaucoup plus longtemps pour la fille, c'est la mère qui a la lourde responsabilité de leur éducation, surtout — on s'en doute — en milieu polygame où la cellule de base est constituée par la mère et ses enfants, le père passant d'une cellule à l'autre au rythme des "tours" (2).

S'il existe — ici comme partout — des proverbes mettant en garde contre la femme ("Aime ta femme mais ne lui donne pas toute ta confiance" recommandait Kocc Barma, philosophe cayorien du XVIIe siècle), il n'en existe aucun qui mette en doute son amour et sa longue patience de mère. Et quand on dit — avec un rien d'indulgence — **xolu jigeen,** mot à mot "un cœur de femme" on veut signifier par là précisément un cœur sensible, aimant, qui se laisse attendrir.

Reine de toutes les fêtes et de chaque instant : c'est vrai. Regardons plutôt : aujourd'hui c'est le huitième jour de la naissance du fils d'Aminata — un fils premier né : on va "faire les choses en grand". Tôt le matin les hommes viennent pour donner le nom à l'enfant (3) et sacrifier le mouton rituel. Sitôt leur mission accomplie ils s'effacent et laissent la place aux femmes qui ne la quitteront plus jusqu'au soir : ce domaine est le leur et elles y excellent.

---

(1) **Boot** : mot à mot : porter au dos. La mère sénégalaise porte son bébé au dos jusqu'à plus de deux ans.

(2) Le "**tour**" (moome) d'une épouse c'est "ses trois jours" (ou toute autre périodicité) durant lesquels elle a droit à son mari qui passe tout son temps, prend ses repas et dort chez elle.
Lire à ce sujet la nouvelle d'Ousmane Sembene "Ses trois jours" dans "Voltaïque" (Présence Africaine).

(3) Le baptême a toujours lieu le 8e jour de la naissance de l'enfant qui reçoit ce jour-là son nom.

Partout, dans les couloirs, dans les chambres, dans la cour on ne voit que des femmes : femmes à peau de sapotille, à goût de mangue mûre ; jeunes filles "aux longs cous de roseaux" et à la nuque odorante, jeunes femmes en fleurs aux formes généreuses et au verbe sonnant haut, boubous lilas sombre ou jaune d'or, les épaules satinées et demi-nues qui font si bien chanter les coras : "les perles sont étoiles sur la nuit de leur peau". C'est à qui rivalisera de broderies, de bracelets ou de parures. Et — dominant les bruits et les rires — flotte partout, aphrodisiaque, l'encens entêtant. Avec un air de Princesse du Fouta — un rien méprisante — indifférente en apparence aux regards et aux commentaires qui vont bon train, la belle Maïmouna rajuste, d'un air innocent, un mouchoir de tête en équilibre instable. Cette autre là-bas, imposante, brandit son sothiou (1) d'un geste de défi. Plus près la douce Soukeyna remonte d'un geste gracieux ses lourds boubous amidonnés. Dans la cour "les grandes calebasses de lait, calmes, au rythme des hanches balancées" et la procession des servantes ; sur les nattes au milieu de la pièce des cuvettes de riz blanc ou rouge, au poisson ou à la viande, voisinent avec les beignets odorants, le lakh (2) suave, le ginger et le bissap (3).

La véritable partie peut alors s'engager : griots et coras entrent en scène. Les voici, clamant à renfort de tama les largesses des uns... auxquelles répondent — tradition oblige — les largesses des autres. Et de faire solennellement le décompte des dizaines de pagnes tissés, des dizaines de valises de vêtements, de liasses de billets de banque, des bijoux... Tout cela au milieu des applaudissements, des exclamations, de la fièvre qui monte.

Un rien jaloux peut-être, les hommes parlent de gaspillage, de goût de la fête ou de la parade. Et l'Etat de renchérir et de légiférer — d'une main de fer — contre les "dépenses somptuaires occasionnées par les cérémonies familiales". Il est de fait que "des sommes colossales peuvent ainsi circuler à l'occasion d'un baptême : ce jour-là Yama Diop distribua près d'un million de francs, en un après-midi, à une bande de griots, d'hommes-femmes et d'encenseurs". Gaspillage... Goût de la fête, poudre aux yeux... ? Peut-être, mais on pourrait aussi raisonner autrement. Ces millions dont on parle tant et si haut ne sont tout de même pas jetés par les fenêtres. Et tout d'abord ces "sommes colossales" — on oublie souvent de le dire — proviennent des cotisations très modestes parfois de tous les membres de la communauté, soigneusement récupérées par les griots de la famille. Certes, une partie de cet argent ira aux griots — et c'est la plus spectaculaire — celle qui se voit et surtout s'entend le plus, car les griots remercient très haut par leurs louanges et leurs chants. Mais la plus grande partie de l'argent sera redistribuée à la famille, aux grands-mères, aux sœurs du père, aux cousines pour les honorer : c'est cela l'échange des téranga, le **poot** comme on appelle ici ce moment de la cérémonie, l'après-midi, qui est l'affaire des femmes et l'occasion privilégiée de consolider les relations sociales existantes, et d'en créer de nouvelles.

Vouloir "réglementer" les cérémonies familiales, n'est-ce pas un combat perdu d'avance ? Dans un pays où la valeur de l'homme se mesure à sa générosité (nit ku tabe) au pays des Samba Lingeer, des Karim et autres, comment peut-on imaginer que cessent un jour ces pratiques millénaires au cours desquelles la communauté se retrouve, se mesure, serre les rangs et les liens, où l'on vient pour honorer ceux qui vous ont honorés et pratiquer cette téranga qui est le miel de la vie ?

Et tant pis si cela vous choque : ici, en matière de générosité on ne fait pas dans la discrétion ! Il faut que tout le monde voie, que tout le monde applaudisse : c'est la fête !

Certes, il faut bien reconnaître aussi que la coutume a été tant soit peu pervertie de nos jours à coups de noms, de titres ou de millions ; que l'argent parle parfois plus haut que la parole donnée. C'est dommage ! Mais demeure néanmoins cet admirable esprit communautaire, cette solidarité, ce sens de la famille qui font l'orgueil des Sénégalais et l'admiration et l'envie des étrangers. Merveilleuse et chaude fraternité que n'ont pas réussi à abolir tous les maux du Sénégal d'aujourd'hui qui ont nom crise — "détérioration-des-termes-de-l'échange" — sécheresse, conjoncture... et j'en passe ! Au Sénégal où que ce soit — à la ville comme à la campagne — quand vous arrivez dans une maison à l'heure d'un repas la mère de famille vous invite toujours impérativement — et pas du bout des lèvres en espérant

---

(1) **Sothiou** : bâton d'une essence particulière qui sert à nettoyer les dents et à les garder blanches.
(2) **Lakh** : bouillie de mil que l'on sert dans les cérémonies pour renouer avec la tradition.
(3) **Ginger** : gingembre, boisson très prisée des Sénégalais (et d'autres) comme le bissap, fruit d'oseille.

que vous refuserez — à partager le plat collectif. Et ne vous inquiétez pas : on vous attendait. Ici on prépare toujours la part de l'hôte... la part du pauvre. Et c'est pourquoi en dépit de la crise personne ne meurt de faim au Sénégal. Oui, la solidarité est bien "la clé de voûte" de la société et c'est la femme qui la porte attachée à sa ceinture.

LA DEUXIÈME ÉPOUSE

Dans **Une si longue lettre,** merveilleux roman où se trouve ramassée toute la société sénégalaise d'aujourd'hui, Mariama Ba décrit les funérailles de Modou Fall, le mari de Rokhaya et Binetou. C'est Rokhaya, la première épouse, qui écrit à son amie Aïssatou :

"C'est le moment redouté de toute Sénégalaise, celui en vue duquel elle sacrifie ses biens en cadeaux à sa belle-famille et où pis encore, outre les biens elle s'ampute de sa personnalité, de sa dignité, devenant une chose au service de l'homme qui l'épouse, du grand-père, de la grand-mère, du père, de la mère, du frère, de la sœur, de l'oncle, de la tante, des cousins, des cousines, des amis de cet homme. Sa conduite est conditionnée : une belle-sœur ne touche pas la tête d'une épouse qui a été avare, infidèle ou inhospitalière".

La coutume veut que les sœurs du mari des veuves dénouent les nattes de leurs belles-sœurs, mais seulement si celles-ci ont été — selon elles — de bonnes épouses, autant dire de "bonnes" belles-sœurs. L'image qui est donnée ici du comportement de la femme dans le mariage est plus vraie que nature : en épousant un homme, la femme sénégalaise épouse du même coup toute sa famille proche ou élargie, ses amis, ses relations... à qui elle doit pareillement — chacun selon son "grade" la téranga —. Aussi bien quand une jeune fille se marie ne lui souhaite-t-on jamais d'être heureuse... Ce vœu est inconnu dans la tradition. Avoir beaucoup d'enfants, oui ! On lui dira : "sois patiente... supporte... tout a une fin... sois généreuse (avec la belle famille s'entend) contrôle-toi..." Une femme qui supporte tout sans rien dire représente ici l'idéal ; c'est une preuve de caractère. On dit même que c'est parce qu'elle aura tout supporté, tout enduré que ses enfants seront de grands hommes, faisant dépendre la réussite sociale des enfants de la conduite de la mère, de la peine (travail-souffrance) de la mère : "ligéyu ndey". Gare à l'infidèle qui n'aura droit qu'à l'échec de "ses" fils et en sera tenue pour responsable ! Si la part de l'homme sénégalais semble être la jouissance, le lot de la femme est sans nul doute la patience. Le bonheur est ailleurs sans doute, "en prime", si on a la chance, si on le mérite. Toute sa vie durant, l'épouse devra être patiente... généreuse et sereine ; savoir "encaisser" sans broncher ; accueillir à n'importe quelle heure les amis du mari qui sont aussi des maris et qu'on doit traiter comme tels (toutes proportions gardées bien sûr) mieux même !... les belles-sœurs qui s'installent pour des jours ou des semaines et se font "chouchouter" — les beaux-frères tyranniques, plus encore quand ils sont les aînés du mari... la belle-mère ! ah ! surtout la belle-mère, plus qu'ailleurs exigeante, jamais contente, l'œil sévère et la critique à la bouche.

Autrefois tout ce monde cohabitait et des principes très stricts régissaient les rapports de chacun avec les autres. Tous étaient sous l'autorité incontestée — et incontestable au demeurant — du **Borom-Kër** ou maître de maison, chef de famille. Aujourd'hui où la vie communautaire est remise en question et où une famille sur trois est réduite au "ménage" à l'occidentale — en ville surtout — les principes sont demeurés cependant quant au respect et aux obligations que la femme mariée doit à sa belle-famille. Et elle s'y conforme : ne devra-t-elle pas des comptes un jour ou l'autre ?... Mariama Ba a raison, qui affirme que "sa conduite est conditionnée" : depuis le premier jour, le jour où on la marie. Car si elle se marie parfois — il s'agit alors d'une femme qui travaille déjà, qui est indépendante économiquement — le plus souvent dans la tradition on "fait" le mariage à sa place : le premier mariage est toujours l'affaire des familles. Les conjoints ne sont pas présents à la cérémonie religieuse. Les consentements sont échangés par les représentants du couple. Et d'un !... La "consommation" du mariage vient après. Rien ne presse apparemment... On temporise même pour conduire la jeune épousée chez son seigneur et maître, on négocie. Quelques jours après, parfois plus longtemps.

Je fis un jour partie du cortège des amies... Je ne suis pas près d'oublier la timide mariée la tête entièrement recouverte d'un pagne, qu'on guidait par la main, les amies joyeuses plaisantant "leur" mari et en espérant des cadeaux... le mari indifférent en apparence et accueillant, généreux, au seuil de sa maison. Mon amie était étudiante en Droit (en troisième année). Elle se mariait comme tout le monde, selon la coutume. Le Code de la famille n'existait pas encore (il date seulement de 1972) et dans sa tête — sinon dans son cœur — elle était prête — préparée de longue date — à faire bonne figure à la co-épouse que son mari pouvait avoir envie de lui donner... un jour prochain, selon la loi édictée par lui et honorée de toute éternité. En prévision de cela justement, les femmes prudentes et avisées prennent les devants : si on les a forcées — qui que ce soit — on va le payer : cadeaux somptueux (tant qu'on "tient" le mari et qu'on a le champ libre il faut en profiter) villa meublée avec domestiques ; voiture enrubannée de rose comme dans **"Xala"** (film-livre d'Ousmane Sembène) ; montre de grand prix, Cartier, Rollex, peu importe : ce qui compte c'est qu'elle soit très chère ; télévision et vidéo de nos jours ; — voilà la dot, autrefois symbolique, de la mariée sénégalaise des années 80. Ce sera tant de pris sur la deuxième et la troisième épouses qui pourront lui être imposées. Beaucoup de Sénégalaises font ce calcul au moment du mariage. Sordide ? à qui la faute ! La prévoyance est la seule arme dont elles disposent dans ce malheur qui peut s'abattre sur elles demain, dans dix ans... comme dans trente.

La polygamie, ou plus souvent la bigamie, est encore aujourd'hui "bien en cour". A quarante ans un homme sur trois est bigame (le plus souvent) ou polygame. Curieusement, c'est le citadin qui épouse deux ou plusieurs femmes ; plus volontiers — et assez naturellement, j'allais dire — celui qui dispose de revenus élevés que celui qui a un salaire modeste. Le scénario est pratiquement toujours le même : l'homme se marie en général entre vingt-six et trente ans ; (avant quarante ans, seulement un homme sur quatre est polygame) son épouse a entre quinze et dix-huit-vingt ans. Le temps qu'elle mette au monde une progéniture nombreuse si possible, que ses seins s'affaissent, que ses formes s'épaississent un peu trop, c'est le moment pour le mari d'en épouser une seconde qui a — en général — l'âge de l'aîné(e) de la première "fournée", l'âge qu'avait aussi la première épouse lors de son mariage. Ce fait ne va pas sans provoquer de nombreux conflits : le mari est beaucoup plus âgé que sa seconde femme : que dire alors lorsqu'il en prend une troisième ou même — mais c'est rare, sauf chez les marabouts mourides qui peuvent en avoir six ou sept — une quatrième ? La première épouse, elle — la Awa — a l'âge d'être la mère des autres, aussi jouit-elle dans la coutume de certaines prérogatives... sinon de prérogatives certaines. Traditionnellement les autres lui devaient obéissance : c'était dans le temps où les co-épouses cohabitaient dans la concession de leur mari. Les choses ont changé aujourd'hui — on s'en doute — surtout à la ville où chacune exige logement séparé avec même standing bien sûr, même mobilier, même voiture... la loi de la polygamie étant que le mari est tenu de traiter toutes ses épouses de la même façon. Le Coran dit : "Epousez, comme il vous plaira, deux, trois ou quatre femmes mais si vous craignez de n'être pas équitables, prenez une seule femme ou une captive de guerre. Cela vaut mieux pour vous que de ne pas pouvoir subvenir aux besoins d'une famille nombreuse."

Les écrivains de notre génération, indulgents pour la polygamie en général, ne sont pas tendres pour les femmes. Ils les accusent d'être intéressées et de faire la chasse au mari qui mettra dans la corbeille de mariage ce qu'ils appellent "les quatre V" : villa, voiture, verger et virement — entendez compte en banque —, bien approvisionné, s'il vous plaît.

Si cela tend déjà à être le rêve de toute femme avant son mariage, à plus forte raison est-ce celui de la femme qui est deuxième ou troisième épouse : ainsi essaie-t-elle de tirer quelque dédommagement d'une situation de partage qu'elle n'a sûrement pas voulue mais à laquelle elle s'est résignée, totalement ligotée et impuissante. On a d'ailleurs souvent confondu résignation et approbation : "On ne fait pas de tort à celui qui consent" disait l'homme pour se justifier... et la polygamie a prospéré dans le silence, la rancœur et la rancune des femmes. Encore la deuxième et la troisième savent-elles à quoi s'en tenir... mais la première ? saura-t-elle, bien qu'éduquée en ce sens, faire face à ce "partage" de son mari ? S'adaptera-t-elle ? Qui, quoi, la dédommagera après quinze ou vingt années de vie monogame et huit ou douze enfants qui vont souffrir par elle, comme elle être humiliés et oubliés ? "La polygamie ne traduit que la supériorité du statut socio-économique des hommes... et leurs arguments ne sont que des justifications" (1). Il est réconfortant que ce soit un homme qui ose affirmer cela... Pourtant il existe, semble-t-il, une raison majeure à la polygamie, immanquablement invoquée par les hommes : la nécessité du changement, à sens unique s'entend : "manger le même plat chaque jour est monotone".

Ceci dit, le nombre des divorces au Sénégal est sensiblement le même que dans les autres pays, monogames ou polygames, et le taux de la polygamie est plutôt en train de baisser, encore qu'on doive se montrer très prudents en l'absence de statistiques en ce domaine.

"LE CODE DE LA FEMME"

Et la loi dans tout ça ? Ce fameux Code de la famille, pourtant baptisé ironiquement Code de la femme, est bien timoré... J'y ai cherché vainement au long de ses deux cent vingt cinq pages un article, un seul, qui la défendrait pour de bon. Le seul pas en avant dans ce domaine est que dorénavant la femme peut demander à son mari "soit à l'occasion du mariage, soit postérieusement" d'opter pour le régime de la monogamie ou "de la limitation de la polygamie". Mais attention ! Un autre article stipule que "Faute par l'homme de souscrire l'une des options prévues à l'article 134, le mariage est placé sous le régime de la polygamie". Des femmes — celles qui connaissent l'existence du Code de la famille — se battent aujourd'hui pour que dans cet article le mot "polygamie" soit remplacé par "monogamie". Aussi bien le code n'est-il appliqué qu'en ville et chez les lettrés... et encore ! On s'en sert davantage au moment du divorce — à cause de la pension alimentaire — qu'à celui du mariage qui continue de se faire très souvent selon la seule coutume.

Le même Code de la famille qui enflamme certains hommes d'indignation et de colère dit encore : Art. 154 **Profession de la femme.** "La femme peut exercer une profession, même séparée de celle de son mari, à moins que celui-ci ne s'y oppose". Pour le coup la tradition a emboîté le pas à la religion qui dit que "l'homme a autorité sur la femme". Elle ne peut passer outre qu'avec l'autorisation du juge de paix !

Lors d'une récente conférence le premier substitut du Procureur de la République — une femme — souhaitait que ce code vieux de quatorze ans puisse assurer véritablement sans déviation l'évolution de la famille conjugale et secouer "le joug des traditions et habitudes ancestrales et l'égoïsme séculaire du mâle sénégalais". Lui emboîtant le pas, **Le Soleil** dans ses parutions du 14 au 18 juillet 86 titrait en énormes capitales une enquête d'Ibrahima Fall : "Le féminisme au Sénégal, à l'assaut de l'Empire du Mâle".

La polygamie — aussi bien — ne disparaîtra pas d'un coup de décret magique. Tant que les femmes ne décideront pas vraiment de refuser d'épouser un polygame et d'exiger l'engagement définitif de leur conjoint devant le Maire, la polygamie continuera de fleurir. Demande-t-on à celui qui porte la coupe à ses lèvres d'y renoncer de lui-même ? C'est aux femmes qu'appartient ce combat et il serait peut-être temps de le sortir des mots et des grands discours.

Discours qui d'ailleurs se retournent le plus souvent contre les femmes qui se voient alors accusées — injure suprême de "féminisme" ! Et être féministe dans le Sénégal d'aujourd'hui est une condition pire encore que celle du franc-maçon considéré ici comme un sorcier et un suppôt du diable. Etre féministe est pour certains — intégristes souvent — synonyme de débauche et de dépravation à l'instar de "Simone de Beauvoir, modèle de la luxure". Et de reprocher aux féministes la pilule... ! à tort d'ailleurs, car si 60 % des femmes en connaissent l'existence, 1 % seulement d'après une enquête conduite par "Famille et développement" la pratiquent. Rien d'étonnant à cela : l'enfant ici est vécu comme une garantie et une revanche, particulièrement en milieu polygamique où il faut faire aussi bien que ses co-épouses, dans ce domaine comme dans les autres.

LE MONDE DES ARTS ET DE LA CULTURE

Un homme est responsable de la place importante accordée au Sénégal à la culture et aux arts : Léopold Sédar Senghor, premier président, poète et homme

---

(1) Abdoulaye Bara Diop. *La société wolof, Tradition et changement.* Tome 1, éd. Karthala, Paris 1981.

de culture s'il en fut. En réalité "le Sénégal est toujours apparu comme une terre de culture et de rencontre" comme l'affirme avec force Mamadou Segni Mbengue dans une étude publiée par l'UNESCO sur "la politique culturelle du Sénégal".

Et pourtant... ce monde des arts et de la culture eut à subir lui aussi les vicissitudes de l'histoire : islamisation d'abord qui, par son interdiction de reproduire l'image de l'homme, paralysa pendant des siècles la production artistique ; colonisation ensuite qui, dans sa double entreprise de déculturation et christianisation arrachait au peuple sénégalais ses dieux et ses ancêtres dans le même geste qui lui ravissait ses masques et ses statuettes pour en "couvrir" l'Europe. Islamisation et colonisation allaient donner à la culture sénégalaise une nouvelle dimension qui en fait aujourd'hui une culture originale et riche de trois composantes : africaine, arabe et européenne.

Si la culture est d'abord — comme l'affirmait André Malraux "l'attitude fondamentale d'un peuple en face de l'univers" on ne peut manquer de reconnaître la richesse et la diversité des réponses du Sénégal aux interpellations majeures de ce vingtième siècle finissant ; le poète parlait ici d'une "architecture de réponses" : c'est que la culture est en même temps "un patrimoine artistique, un passé donc et d'autre part une création vivante, un avenir".

Le passé et le présent du Sénégal s'appellent ici **enracinement** et **ouverture** qui, conjugués harmonieusement, doivent conduire au développement véritable, c'est-à-dire à "la production en même temps des biens matériels et des biens spirituels".

Pour un pays comme le Sénégal, passer brusquement de l'état de consommateur à celui de producteur des biens spirituels n'est pas chose aisée : certes le Sénégal pays de civilisation orale avait déjà eu à plusieurs reprises dans le passé son mot à dire. Mais les peuples dotés de l'écriture ne prenaient pas au sérieux ce qui se disait dans l'éphémère de la parole ou du geste et n'était pas à jamais fixé et figé dans le noir de l'encre. On ne prenait pas au sérieux un art qui se disait dans la splendeur des étoffes tissées et teintes à la main, des cuirs — selles et coussins, finement travaillés, des objets de chaque jour amoureusement décorés depuis le simple bâton de berger jusqu'à la calebasse artistiquement gravée qui était sur la tête de la femme une parure supplémentaire. On ne prenait pas au sérieux ces "bouts de bois" sculptés que d'aucuns vouaient aux géhennes du feu — et que d'autres — plus avisés recueillaient et expédiaient en Europe où très vite ils allaient prendre une place de choix dans les vitrines des musées, eux qui, en Afrique, étaient la vie et la profession de foi d'un peuple très croyant. A-t'on assez répété que l'art africain était avant tout fonctionnel ?

Fonctionnel, symbolique et collectif. Pourtant le rapport de l'homme à l'art n'y est pas le même qu'en Europe. La statuette, le masque — sculpté ou peint — font essentiellement partie de la vie de l'Africain, du Sénégalais, remplissent une fonction précise : célébrer ses dieux, chanter sa foi. L'idée ne serait venue à personne de les "exposer" au regard des étrangers dans une vitrine, ou d'aller les y contempler. C'est ainsi que le concept même d'artiste était inconnu dans la société traditionnelle. C'est le désir du Sénégal d'apporter sa pierre au monde pour l'aider à construire cette fameuse "civilisation de l'universel" si chère à Senghor qui va lui dicter sa politique de la culture et des arts. La volonté d'être présent au "grand rendez-vous du donner et du recevoir" — "car qui apprendrait le rythme au monde défunt des machines et des canons ?" — se manifeste d'abord dans la théorie de la **négritude.** Celle-ci se définit comme "l'ensemble des valeurs culturelles du monde noir" au nombre desquelles une identité culturelle authentique. Ici l'écrivain — les Senghor, les Birago Diop, les Ousmane Socé... — a précédé le peintre ou le sculpteur ; la renaissance de la littérature, une des plus brillantes de la région, a précédé et entraîné celle des arts. Cette dernière avait été initiée dès les lendemains de l'indépendance et c'est ainsi que plus d'un quart de siècle plus tard le Sénégal se trouve à la tête d'un certain nombre d'infra-structures culturelles et artistiques de premier plan. L'Institut national des Arts s'est scindé en deux écoles : **l'Ecole Nationale des Beaux Arts** rattachée à l'Enseignement secondaire et **l'Ecole Normale Supérieure d'Education Artistique,** rattachée à l'université. On y enseigne toutes les techniques modernes de la peinture, sculpture, danse, musique et les étudiants disposent d'ateliers de recherche où chacun peut laisser libre cours à son imagination. Parallèlement, des locaux — une Cité des Arts — sont mis à la disposition des artistes et des bourses de travail leur sont consenties.

On peut voir leurs œuvres lors des Salons annuels de la peinture qui se tiennent au **Musée dynamique.** Pourquoi dynamique ? Peut-être pour le différencier du

Musée "traditionnel" de l'IFAN qui conserve jalousement les trésors : masques, statuettes, objets, de l'Afrique d'hier. Le rôle du Musée dynamique ne se limite pas aux Salons annuels et expositions ponctuelles des gloires nationales. Il accueille également les plus grands artistes mondiaux : Picasso de son vivant tint à y être exposé témoignant par là de sa solidarité avec les artistes Sénégalais, puis ce furent Chagal, Soulages, la Tapisserie et les grands maîtres... La tapisserie : il existe à Thiès une **manufacture de tapisseries** qui est également une école où côte à côte artistes et artisans œuvrent à réveiller les formes spirituelles de leur peuple endormies dans le silence depuis des siècles. Les tapisseries Sénégalaises aux couleurs qui explosent font l'admiration unanime des étrangers et des nationaux.

Depuis une date toute récente, une **Galerie Nationale** installée en plein centre-ville est venue seconder le Musée dynamique. Elle propose régulièrement des expositions : peintures, sculptures, tissages, poteries... d'artistes Sénégalais ou étrangers, mais elle semble "boudée" par nos jeunes talents, contrairement aux galeries privées.

Le théâtre n'est pas en reste sur les Arts plastiques. En 1966 lors du Premier Festival Mondial des Arts nègres, il revint à la France qui avait choisi pour cette occasion "La Tragédie du Roi Christophe" du grand Césaire, d'inaugurer le prestigieux **Théâtre National Daniel Sorano.** Ce théâtre de 1 200 places a vu la création de quelques belles pièces africaines (telle "L'exil d'Alboury" de Cheikh Aliou Ndao) ; plus près de nous des adaptations à la scène de grandes œuvres de la littérature sénégalaise comme "Les bouts de bois de Dieu" de Sembene ou "La grève des Battu" d'Aminata Sow-Fall ont connu un succès populaire certain. Il reste qu'on n'exploite pas suffisamment toutes les possibilités du théâtre — trop de music — hall étranger peut-être, et pas assez de recherche en direction à la fois du Futur et de la Tradition, si riche cependant.

Alors... oui, il y a une vie culturelle et artistique à Dakar. On n'y compte pas moins de quinze sculpteurs, et quatre-vingt peintres "recensés" dont certains ont porté haut et loin le nom du Sénégal, à l'image de la centaine d'écrivains, poètes, romanciers dramaturges, conteurs... qui font de la littérature sénégalaise une des plus originales et des plus riches de l'Afrique de l'Ouest. Qu'ils me pardonnent ici : j'aurais voulu les nommer tous et chacun : ne pouvant le faire je ne parlerai d'aucun en particulier, pas plus que je ne m'attarderai sur les "tendances" ou les "écoles" de peinture qu'on voit s'ébaucher ici et là : expressionnistes, cubistes, surréalistes, naïfs... Mais surtout Africains, qui ont ressuscité au bout de leurs pinceaux des formes, des lignes, des couleurs qu'on croyait à jamais ensevelies dans les profondeurs de l'Invisible avec lequel ils communient : puissance et magie de l'art.

Mystère aussi : prenons le cinéma. Les cinéastes Sénégalais étaient jusqu'à ces dernières années plus connus et célèbres ailleurs que chez eux où le grand public leur préfère de loin *Kung Fu* ou *Mangala, fille des Indes,* assurent les distributeurs. De personnalités fort différentes, une dizaine de créateurs attaquent pêle-mêle, souvent avec humour et sans ménagement, leur société de "mutants" où la valeur-argent a détrôné tout à la fois l'honneur, la famille, la solidarité ; ils s'en prennent à la polygamie, dénoncent le mirage de la ville et le mythe de "Paris-eldorado" bien vivace encore, plus d'un quart de siècle après les indépendances ; ils se moquent, impitoyables, des bourgeois repus et fats, relayés en cela par la "télévision-théâtre" du mardi soir qui met en scène des pièces de jeunes auteurs violemment critiques des maux d'une société en voie de perdition. Cet autre cinéaste — un poète sans doute — préfère rêver aux mystères bruissants des bois sacrés et des coutumes de l'Afrique millénaire. Heureux soit-il ! d'autres ne rêvent que de tuer le père : en l'occurrence le vieux, le maître Sembène.

La passion se dit aussi en musique au Sénégal et une fois de plus on s'aperçoit que les gloires du moment ont été couronnées... ailleurs. Les frères *Touré Kunda* se produisent à Dakar, plus exactement à Gorée, à l'occasion d'un grand Rassemblement anti-Apartheid, le reste du temps ils sont à Paris... de même que l'orchestre *Xalam,* si prisé des Sénégalais ou le Ballet National qui danse d'une capitale européenne à l'autre. Heureusement à Dakar nous avons Ismaël Lo et cet autre chanteur — enfant chéri du Sénégal — qui a nom Youssou Ndour. "Tali be..." Promenez-vous dans l'Avenue Blaise Diagne un matin vers onze heures : des flots de musique en tous genres — où domine de loin la chaude voix de Youssou — vous porteront d'une "table" à l'autre, d'une surprise à une autre et d'un émerveillement à un autre. La rue, à Dakar, c'est le lieu géométrique de tous les possibles.

Il n'y a qu'à se promener, dans la Médina par exemple, pour voir surgir un monde de formes, de couleurs et de poésie ; au hasard des rues et ce n'est pas une boutade, c'est tout un art populaire en effet qui continue la tradition des étoffes et des cuirs de jadis : enseignes de restaurants hautes comme un étage ("Bons morceaux et poulets rôtis") et colorées de teintes vives ; enseignes de tailleurs, de peintres naïfs, de coiffeurs surtout ; petits tableaux de quatre sous "bricolés" avec des bouts de ficelle, des cauries, des boutons ; herbiers exotiques ; grandes peintures murales décoratives... et là-bas à même le trottoir de la corniche, sculptures volcaniques d'un artiste bien connu. Mais surtout, surtout ne manquez pas de remonter jusqu'à la "Cour des Maures" : vous y découvrirez ces merveilleux "fixés-sous-verre" ("souweer") qui sont la spécialité glorieuse du Sénégal des années 80 : alignés debout contre la palissade à même le sol de terre battue ou grimpant à l'assaut des murs, ces drôles de petits tableaux naïfs aux couleurs vives sont la parole magnifique du griot : ils disent l'épouse mécontente qui quitte la maison, son pilon sur la tête... l'école coranique à l'ombre d'un manguier... le polygame et ses épouses... le gendarme et le voleur... ils disent la vie de tous les jours dans l'éclat des ors, des bleus durs et des rouges carmin, ils chantent la beauté émouvante des femmes et des enfants de ce pays.

Art de trottoir ? Cet art est bien vivant en tout cas, plus sans doute que celui qui remplit les Salons annuels du Musée dynamique : au fait, à quand l'entrée au Musée de Dakar de la peinture sur-verre Sénégalaise exposée à Paris (du 19 mai au 14 septembre 1986) au Musée des Arts africains et Océaniens en une grande rétrospective ?

"Nul n'est prophète en son pays" me disait l'un des plus connus des peintres sur verre, Gora Mbengue, le soir du vernissage... Tout de même !

Régine Renaudeau

*Régine et Michel Renaudeau,
au travers de cet ouvrage,
remercient particulièrement leurs
amis Sénégalais, avec qui ils
ont partagé vingt années heureuses.*